無限とはなんだろう

限りなく多く、大きく、遠いふしぎな世界

玉野研一　著

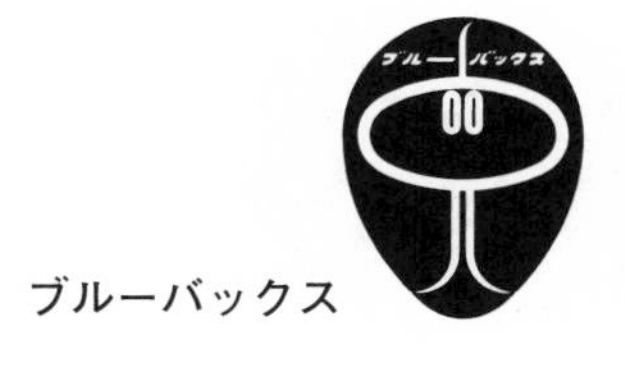

ブルーバックス

本書は2004年4月，小社より刊行した
『なっとくする無限の話』を
改訂し，新書化したものです。

装幀／児崎雅淑（芦澤泰偉事務所）
カバーイラスト／出口敦史
本文デザイン／齋藤ひさの
本文イラスト／はしゃ
本文図版／さくら工芸社

はじめに

無限という言葉から一体どんなことが想像されるだろうか。

大きな数を思い浮かべたらそれが無限なのか。数え切れないほどの個数を昔インド人たちは，ガンジス川の砂粒の個数にたとえた。しかしそれさえも有限だ。

果たして宇宙空間は無限に広がっているのか。もしそうだとしたら星の数は無限個か。

神は果たして存在するのか。それは無限の存在か。それにひきかえ私たちは有限の存在か。

私たちの人生が，もしこれからも無限に続くとしたら一体どうなのか。不老不死，それは私たちにとって幸せか……。

無限という言葉は，私たちの想像力を駆り立てる。さまざまなことが自然に浮かんでくる。

本書では，おもに無限を数学的な立場でとらえようとする。解析（微分・積分），幾何，集合における無限の考え方をわかりやすく解説する。

無限大とは何か。

限りなく近づくとはどういうことか。

無限遠点とは何か。

無限の個数を数えるとはどういうことなのか。

話の範囲をなるべく数学的なものにしぼっても，無限に心ひかれ，取りつかれたように後を追いかけていくと，たちまち単なる教科書の解説を超え，無限の深みへと導かれてしまう。「無限を完全になっとくすることは永遠にできない。だから面白いのだ」ということをなっとくしていただければ，著者としてそれほどうれしいことはない。

無限大の記号は1655年にウォリスという人が用いたらしい。彼は1000を意味する後期ローマの数字 CIↃ からヒントをえて，この記号を採用したといわれている。きっと1000は大きな数の象徴として用いられたのだろう。

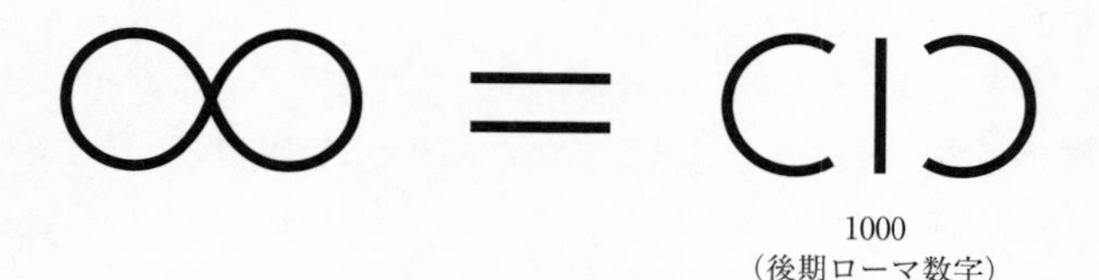

1000
（後期ローマ数字）

本書では，自然数を1，2，3，…とする。すなわち自然数には0を含めない。整数とは0，±1，±2，…のことだったのを思い出しておこう。自然数全体の集合をN，実数全体の集合をRと表すことにする。

この本をまとめるにあたって，授業やセミナーでの学生の皆さんとの議論が大いに役に立った。そこで出された素朴な疑問によって問題点を深く掘り下げ，はっきりさせることができた。また，無限についての豊富なアイデアが議論から生まれた。

影井清一郎，松谷茂樹，河村寿人，一糸俊輔の諸氏には原稿を精読いただき，多くのコメントをいただいた。今野紀雄氏，四方順司氏，蔵本哲治氏には内容について助言していただいた。編集の瀬戸晶子氏には，本書の構想から細部の修正に至るまでさまざまなヒントをいただいた。ここに感謝の言葉を述べたい。

「ブルーバックス版」刊行にあたっての追記

本書は，拙著『なっとくする無限の話』（講談社，2004年4月）のブルーバックス版である。新書化にあたり，文章の修正，加筆を多少行ったが，内容は本質的には変わっていない。図は，新書の体裁に合わせ，削除，修正を行った。

ブルーバックス編集部の出口拓実氏には，新書化を勧めていただき，また，さまざまな手助けをいただいた。文系の立場からの意見は新鮮だった。ここにお礼を述べたい。

玉野研一

無限とはなんだろう ____ 目次

第3章　極限という考え方　…55

第4章　届かない点　…101

第 1 章 無限は哲学の領分であった

１．１ 人間は有限か無限か

無限という言葉は魅力的である。これから考察する数学的な意味だけでなく，哲学的な意味でも人を惹きつける。のちに述べることと関わりがあるので少し哲学的な無限に触れておこう。

無限は昔から哲学の大きなテーマであり，多くの哲学者が議論してきた。

古代ギリシャの時代に，いろいろな哲学者が万物の根源を問うた時代があった。**タレス**（BC 624－548頃）は「万物の根源は水である」と言った。太陽は海の水を蒸発させ雲を作る。雲は雨になり，大地に降り注ぐ。その過程を世界の動きの典型としてとらえたのだろう。**アナクシマンドロス**（BC 610－547頃）は「万物の根源は無限（ト・アペイロン）である」と主張した。ト・アペイロンとは「境界がない」とか「限りがない」という意味で，実際どのような意味合いで使われたのか不明なところもある。しかし限りのないことが本質的であることが当時から意識されていたのは面白い。

その後，**プロティノス**（205頃－270）が神と無限を同一視する表現を生み出した。それはキリスト教世界に受け継がれ，無限なる神と有限なる人間という考え方に結びついた。そこでは無限という言葉は，単に限りがないという意味だけではなく，畏れ多いという意味を含み，全体性，普遍性，絶対性，完全性なども表していると考えられた。

宇宙の大きさ，時間，物質の無限性を信じていたイタリアの**ブルーノ**（1548－1600）は，異端裁判で火あぶりの刑にされた。**ガリレオ・ガリレイ**（1564－1642）が，無限を数える（第５章）という考え方の萌芽をもっていたし，宇宙が無限である可能性も感じとっていたのに，公式にはそういうことに踏み込まなかったのはそういう時代背景がある。当時はまだ，地球を中心として天体が回っているという考え方が圧倒的だった。

人間が有限の存在だとしたら，人間はなぜ，無限に惹かれるのだろうか？　そんなことを追求した哲学者たちがいた。

デカルト（1596－1650）もそのような１人である。『方法序説』で，「私は考える。ゆえに私はある」という考え方から出発した。すべてを疑ってかかって考え続けている私は，もちろん不完全な，有限の存在である。自分が有限であることを知っている以上，自分の中に，それと対極にある無限で完全なるものの観念，すなわち神の観念があるはずである。そのような観念は，有限である自分には生み出し得ないのだから，その神の観念は，きっと神が我々の中に置かれたのだろうと考えた。したがって神は存在する。デカルトはこう結論づけた。

人間は本当に有限なのだろうか。人間有限説を極端にすると人間機械説になる。人間，そして一般に生物は有限の存在であり，単なる精密な機械であり，そのプログラムはDNAの２重らせんに描かれているというのである。

無限なるものを有限なる人間がとらえられるのか。本当に人間の精神は有限の働きしかしないのだろうか？　ゲーデルの不完全性定理（第６章）は，論理を有限回用いて考えることの限界を示した。

人間の精神はひょっとして無限の論理をもっている可能性はないのだろうか？　人間の直観は単なる機械以上の性能をもっているのではないか。有限な人間だから，届かない完全な無限の世界へ飛び立とうとする憧れ，神への憧れがあるのだという考え方が成り立つとすれば，逆に，人間は無限を感じとることができるのだから人間の精神もある種の無限性を備えていると考えるのも楽しい。私たちの魂（＝**ミクロコスモス**）の中に壮大な無限な宇宙（＝**マクロコスモス**）のミニチュア版が入っているかもしれない。いつか人間の無限性が引き出され，計算しなくてもあらゆる命題が直観的に正しいか正しくないか判定できるかもしれない。そんな神秘主義的で荒唐無稽なことを想像することは楽しい。第６章，第７章で述べるように，数学というものすごく厳密な学問においてさえ，究極のところ，正しいか正しくないかは直観的信念に頼らざるを得ない。そこが世の中の面白いところである。

ちょっとした哲学ごっこをしてみたが，無限について考え出すと止めどなくいろいろなことが思い浮かんでくる。

1.2 宇宙に「へり」はあるか

子どもの頃，宇宙に限りがあるのかという問題をまじめに考えた経験をおもちの方もあるだろう。限りがあるとしたらその向こうはどうなっているだろう。そんなことを考え出すと気になってしかたがない。

次節で述べるゼノンの影響もあり，ギリシャ数学は無限の概念を嫌っていた。アルキメデスも図形の面積を求めるときに，無限の極限に似た証明法を行ったが，無限の概念を直接使うことはさけた。しかし無限に取り組んだ人もいた。

ギリシャの哲学者**アルキュタス**（BC 400 - 365に活躍）は，すっきりとした議論で次のように断言した。

もし，世界に縁（へり）があったと仮定しよう。その縁に立って手を伸ばす人間を想像しよう。もしその人が手を伸ばすことができたとすれば，縁の向こうには少なくとも，空っぽな空間がある（！）ことになる。できなかったとすれば，何かそれを妨げるものがある（！）ことになる。どちらの場合も何かがあるのだから世界に縁は存在しないだろう。したがって，世界は空間的に無限の広がりをもつに違いない。

もし，アルキュタスの言うように宇宙に縁がなかったとしよう。そしてアルキュタスの言う，1つ目の場合，すなわち宇宙のどこまで行っても，そこにいる人が先に手を伸ばせるようになっていたとしよう。

このとき宇宙は一体どんな形なのだろうか。2つの可能性がある。

1つは，宇宙が無限に伸びている場合である。例えば図1-1のような3次元のユークリッド空間だと思えば良い。

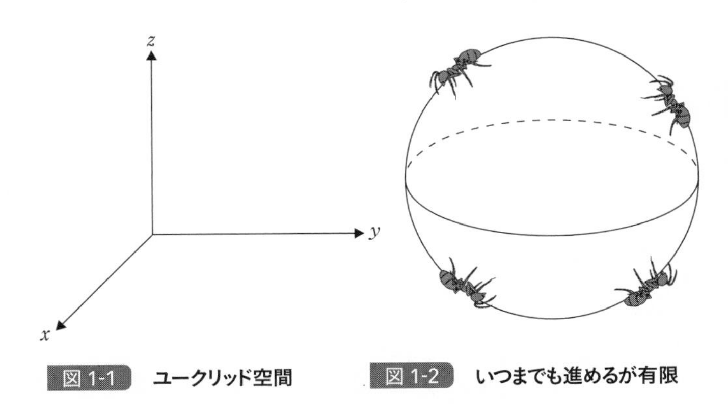

図1-1　ユークリッド空間

図1-2　いつまでも進めるが有限

しかし可能性はそれだけだろうか。宇宙は球面のようなものである可能性がある。無限の遠くまで伸びていないのだが，球面にはふちがない。宇宙は本当は３次元（時間も含めると４次元）なのだが，図1－2では次元を落として２次元球面にしてアイデアを示す。例えば球面の上に乗っかっているアリを考えよう。するとアリにとって自分の住んでいる世界に限りがあるとは決して思わないだろう。アリは，どこまで行っても前後左右どちらの方向へも進めるからである。ところがこの世界は無限には伸びていない。ぐるっと回ってもとに戻ってくることが可能である。

宇宙の全体的な形には，曲面に例えていうと図1－3の３通りの可能性がある。(1)，(2) は開いた宇宙というものである。(1) は平らで曲率0といい，(2) は，馬の鞍（くら）の形をしていて曲率が負であるという。(3) は，曲率が正の閉じた宇宙とよばれる。宇宙が本当はどのような形をしているか，いまだにわかっていない。

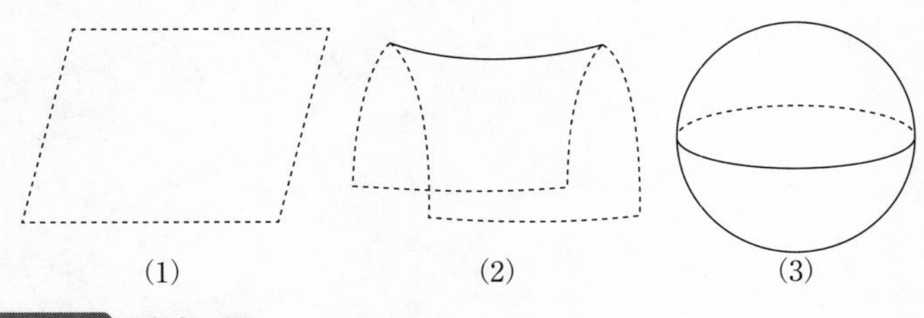

図 1-3 宇宙の形

１．３ アキレスと亀に見る無限

ギリシャ時代に無限を最も本格的に考察したのは哲学者**ゼノン**（BC 490頃生まれ）である。彼は運動に関する４つのパラドクス（逆説，逆理）を考えた。ここでは，その中の１つ，「アキレスと亀のパラドクス」を見てみよう。**パラドクス**とは，「常識と反対のことを述べているようでも，実は道理にかなっている説」である。しかし，ゼノンのパラドクスの場合は，「常識に反するのだけれど，ひょっとしたら理にかなっているかと思わせる説」と言ったほうが良いかもしれない。その議論は非常に面白い。

アキレスと亀の問題　足の速いアキレスは友人の亀と競走した。ハンディをつけて，アキレスは亀の後方1kmから出発する。アキレスは亀の２倍のスピードで走る（亀の２倍のスピードでは，決して足が速いと言えないような気もするが，そこは目をつぶっていただきたい）。さて，このときアキレスは亀に追いつくことができるだろうか。

ゼノンは，次のように考えた。図1－4をご覧いただきたい。

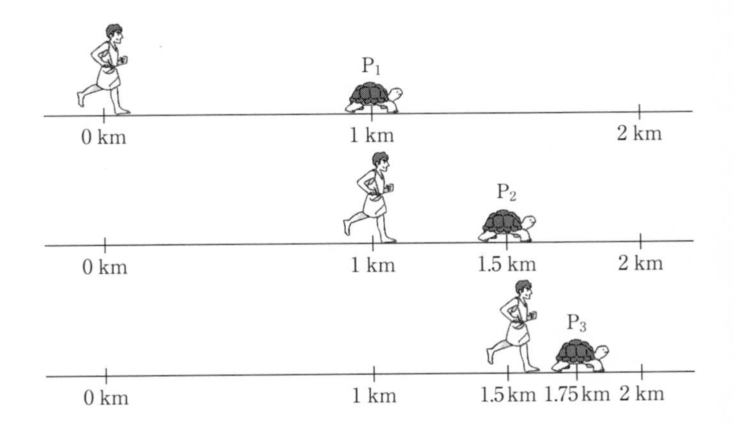

図 1-4　**アキレスと亀**

アキレスが最初亀のいた位置P_1に到達したとしよう。そのときにはすでに亀はもっと先の位置P_2にいるはずである。次にアキレスはがんばって走ってP_2まで行ったとする。そのとき亀はすでにP_3まで行っているはずである。この操作は無限に続き，アキレスは亀に決して追いつくことができない。これがゼノンのパラドクスである。

ゼノンは変化，運動に潜む矛盾を示し，変化や運動を概念的にとらえようとしても不可能なことを示そうとした。同時に数学的無限をとらえようと努力しても不可能だと主張した。

ゼノンのパラドクスを聞いてどう思われただろうか。逃げる亀と追いかけるアキレス。その無限の繰り返しに接し，めまいに襲われた方も多いだろう。私もそのような１人である。中学生の頃，テレビの教育番組でこの話を聞き，以来ずっと気になっていた。確かにそこに無限があった。無限回の操作など人間にできやしない。したがってアキレスは亀に絶対に追いつかない。その通りだと思った。

ゼノンのパラドクスの話をするとすごく関心をもってめまいに襲われる人と，そんなの全く矛盾しないじゃないとあっけらかんと言い放つ人の２通りに分かれる。私自身はめまい派なのだが，最近学生にこのパラドクスの話をしたら，なんでそんな馬鹿なことを話すのか。全く問題ないじゃないかと言われてがっかりした。

「1kmだとわかりにくいけれど，最初の距離の差が1mだったらアキレスが大股を広げて2mを１歩で行けば，その間に亀は1m歩くはずだから，ちょうどアキレスは亀にそこで追いつくということじゃないですか。そんなの矛盾でもなんでもないじゃないですか」と言われてしまった。

確かにその通りなのである。アキレスが無限回繰り返しても，例えば最初の設定のように，アキレスが時速1kmで進んだとしても，アキレスが進む距離は$1+\frac{1}{2}+\frac{1}{2^2}+\cdots$kmであり，その極限は図でわかるように2kmである。

時間にしても同じだけ，すなわち２時間なのである。この無限回の操作を続けてもアキレスは決して２時間をこえて進むことができない。したがって，亀を追い越せないのである。

めまいを感じた無限の操作も，全部合わせてみてもたった2を超えることができないのである。しかし，これは言いかえると，有限の存在である2という数を無限個に分けることができるということである。私はやはりここにめまいを感じてしまう。

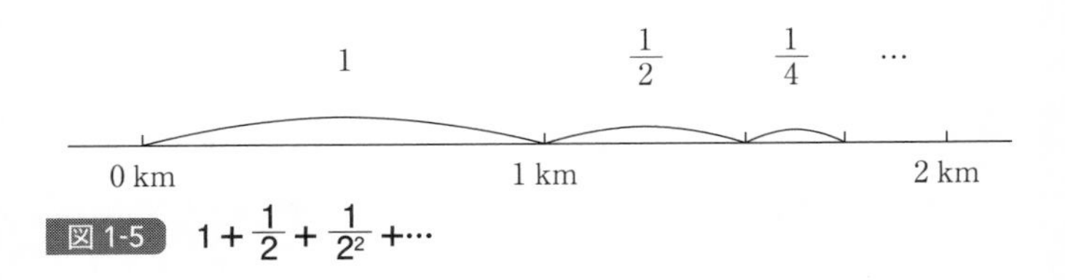

図 1-5　$1+\frac{1}{2}+\frac{1}{2^2}+\cdots$

1.4　がんばれば無限に届くか

私は子どもの頃，何かの本で忍者の特訓について読んだ。手裏剣投げとか，竹筒をくわえて水中に潜む水遁（すいとん）の術とかに憧れたものだ。忍者が高く飛ぶための特訓というのもあった。麻は毎日少しずつ伸び，しばらくするとものすごく高く成長するそうだ。その麻の成長に合わせてそれを飛び越える練習をするのだ。1日にすると例えば前の日よりもたった1mm高く飛ぶに過ぎない。そんなのは簡単である。それをどんどん繰り返していけばそのうちにどんな高さでも飛び越えられる。当時私は庭にあった雑草を飛び越える練習をした。1週間もしないうちに飽きてしまったが。

この考え方と，1.3節での，有限の量が無限個に分割できるという考え方を組み合わせると面白いことに気がつく。

1時間で$\pi = 3.1415\cdots$の無限個の数字をすべて唱えることができるのである。まず，最初の$\frac{1}{2}$時間で3.1415…の最初の数字3を言う。たったこれだけの仕事なので退屈なくらいだ。だから「点」も叫ぼう。次の$\frac{1}{4}$時間で次の数字の1を1つ，次の$\frac{1}{8}$時間で4…。するとどこまでいっても1時間を超えない。だんだん口を早く動かさなければならなくなるのでよく練習しよう。いつしか，唱える口の動きが光の速さを超えてしまう。

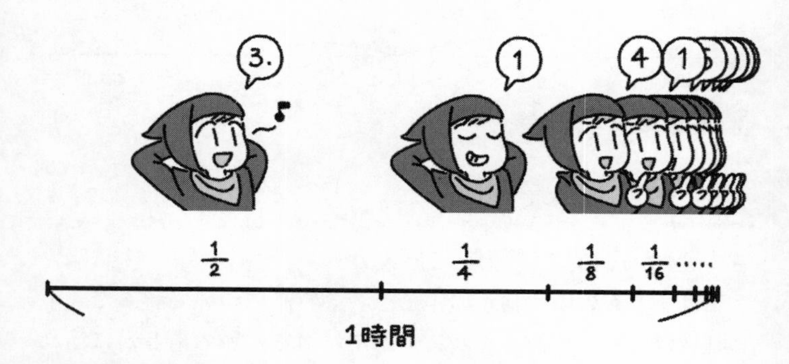

図 1-6　πを1時間で唱える

光の速さを超えた運動は可能なのだろうか？　やはり不可能かもしれない。

1.5 無限は見えるか

無限の粒を1度に見ることは可能か。例えば収束点列1, $\frac{1}{2}$, $\frac{1}{3}$, $\frac{1}{4}$, …は，その無限個を図に書くことはできない。図1-7のように途中まで書いて後は「…」でごまかしてしまう。

ところが，ある意味ではそれらを1度に書くことができる。0と1を結ぶ線分を引けば良い。その中には，上の点列のあらゆる要素が入っているはずである。

このように，私たちが有限の長さの線分を見るときに，数学的に理想化して言えば，そこに無限の点があるはずである。果たして私たちの目には無限個が見えるのか？

線分を見るときに私たちの脳はどのように認識するか。いく

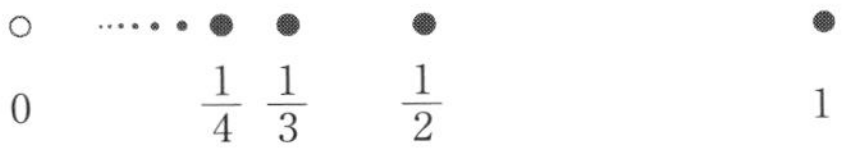

○　……•••●　●　●　●

$0 \quad \frac{1}{4} \quad \frac{1}{3} \quad \frac{1}{2} \quad 1$

図1-7　途中から「…」

つかのたくさんの点の粒として見えるのか。もしそうだとしたら何粒くらい見えているのか実験的に確かめることができるか？　それとも連続的な（すなわち，つながっている）ものとして見えるのか。視覚的には有限だが，それを脳で判断するとき連続量になるのか？　図1-8のように平行線とか同心円でも錯視によって平行でなく見えたり，渦巻きに見えたりする。実数の連続性（第５章参照）も面白いが，「脳における連続性の認識」も調べたら面白いかもしれない。

図1-8　区間はどのように認識されるか

第2章　現実の中の「無限」

2.1　πの計算命！

円周率とは円周と直径の長さの比である。ギリシャの**アルキメデス**（BC 287頃－212）は，直径1の円に内接する正n角形の周の長さと，同じ円に外接する正n角形の周の長さを考えた。その2つのn角形の周の長さの間に直径1の円周の長さ，すなわち円周率がある。

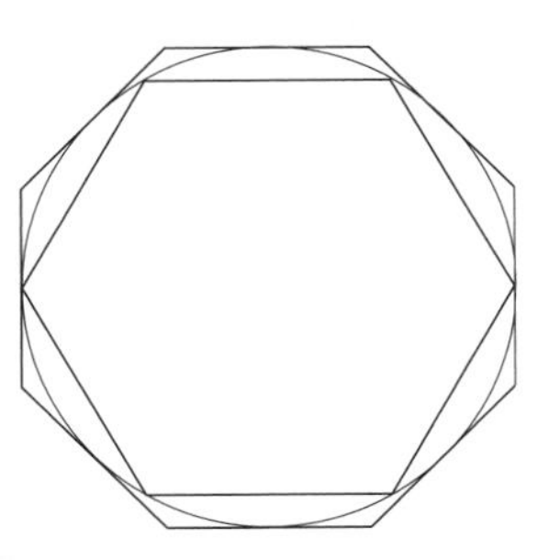

図 2-1　多角形で近似

アルキメデスはこの考えを用いてなんと96（$=6\times 2^4$）角形を用いて円周率の範囲を求めた。それによると $3\frac{10}{71}<\pi<3\frac{1}{7}$ である。これは小数に直すと $3.1408\cdots<\pi<3.1428\cdots$ ということだからπを小数2けた

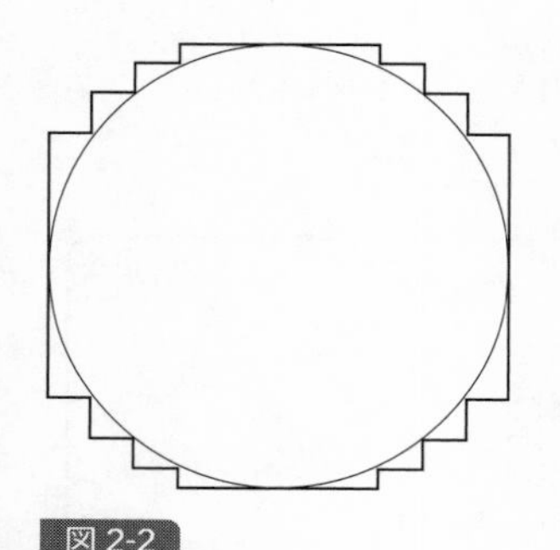

図 2-2
円周の長さのだめな近似

まで，すなわち3.14まで求めたことになる。以降，何人もの人がこの方法でπの計算をした。オランダの**ルドルフ・ファン・ケーレン**（1540－1610）は，2^{62}角形を用いてπを小数35けたまで計算した。これは彼が亡くなった年の成果である。ドイツでは今でも，一生をπの計算に尽くしたルドルフに敬意を表して，πのことを**ルドルフ数**とよぶことがある。

円に内接する多角形や外接する多角形の周の長さを用いるとうまく円周率が近似できた。多角形をどんどん細かくしていくと円周率に近づいていった。もし，図2－2のような折れ線を使ったらどうだろう。

面積を調べるときにはこの近似は悪くない。それでは折れ線の周の長さはどうなるだろうか。少し考えていただきたい。お気づきだろうか。そう，この折れ線の周の長さは，折れ線の間隔をどのように細かくしても円周に外接する正方形の周の長さと一致してしまう。なぜならば，例えば図2－3の太線で示した横線の長さの和は正方形の上の1辺の長さと一致するからである。

その後，ニュートン，ライプニッツによって微分積分が発見され，πを無限級数で表し計算する方法が現れた。これによって，πの計算が飛躍的に発展した。

例えば1873～74年に，イギリスのシャンクスが，πを707けたまで計算した値を出版した。

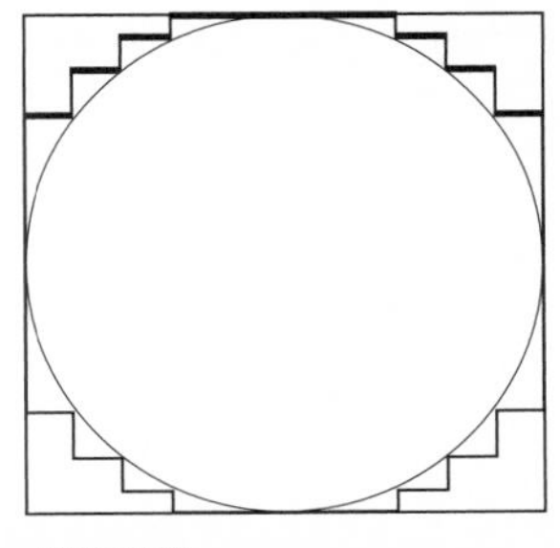
図 2-3　折れ線の周の長さ

ところが，1945年にファーガソンが，シャンクスの計算が527けた目まで正しいが，それ以降間違っていることを発見した。さらに，1947年，ファーガソンは，卓上計算機により，約1年がかりで808けたまでを計算した。

1950年頃にコンピュータ（電子計算機）が出現し，πの値の計算が簡単になった。今では，皆さんのもっているパソコンですらあっという間に膨大なけた数の計算ができてしまう。

πの計算に用いられる級数をあげておこう。ここで一般に，

$$\arctan x = x - \frac{x^3}{3} + \frac{x^5}{5} - \frac{x^7}{7} + \cdots$$

である。

πの計算公式

$$\frac{\pi}{4} = \arctan 1 = 1 - \frac{1}{3} + \frac{1}{5} - \frac{1}{7} + \cdots$$

（グレゴリー，ライプニッツの公式）

$$\frac{\pi}{4} = 4\arctan\frac{1}{5} - \arctan\frac{1}{239}$$

（シャンクスが用いたマチンの公式）

グレゴリー，ライプニッツの公式に比べてマチンの公式は収束が早い。ほかにもたくさんの公式が工夫されている。

2．2　巡回セールスマン問題の計算量

いくつかの都市があり，それぞれの間の距離が与えられている。セールスマンは，その中のある都市を出発してほかのすべての都市を回ってもとの都市に戻ってくる。すべての都市を最短距離で回るにはどのようにしたら良いか。

例えば，都市が4つの場合を考えてみよう。各都市の間の距離が図のように決まっていたとする。

例えばA市から出発しよう。どのように回ると最短距離で行けるか，まず試していただきたい。答えの図は次ページにある。その通り，図2-5の回り方が最短である。答えは，A→C→B→D→Aあるいはその逆順A→D→B→C→Aである。また，その巡回距離は3＋4＋3＋2＝12となる。

当たっただろうか？　それでは，なぜそれが最短かチェックしてみよう。どうしたら良いだろうか。誰にでも考えられる方法がある。すべての可能な巡回経路を数え上げ，それぞれの距

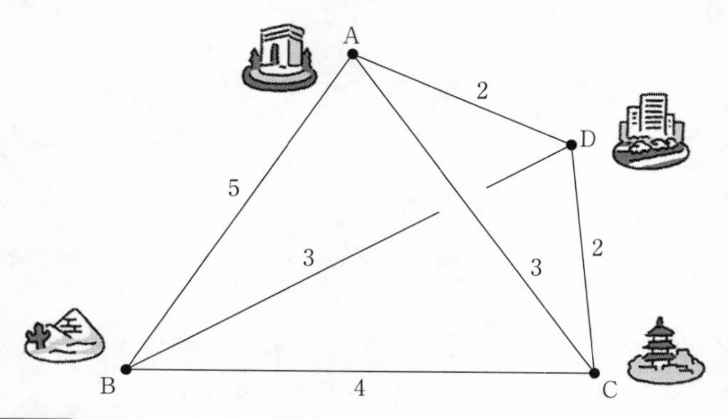

図 2-4　都市が４つの場合

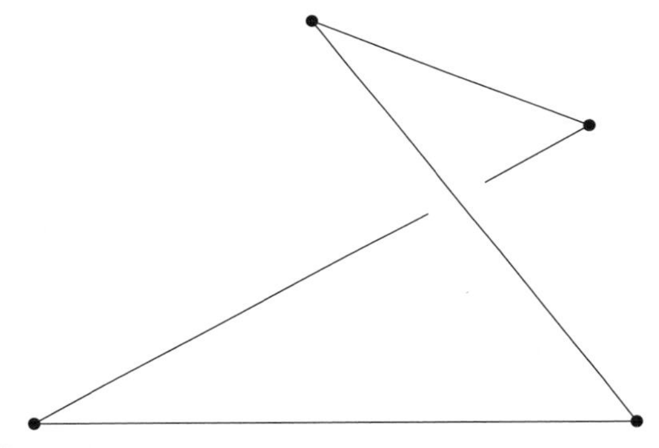

図 2-5　**最短の回り方**

離を計算し，その中で最短なものを見つける方法だ。

実際にやってみよう。ぐるっと回ってくるので，どの都市から出発したとしても同じである。そこでA市から出発すると考える。全部の場合をあげると図２－６のようになる。

なーんだ。簡単じゃないか。何でこんなことが大問題なのか

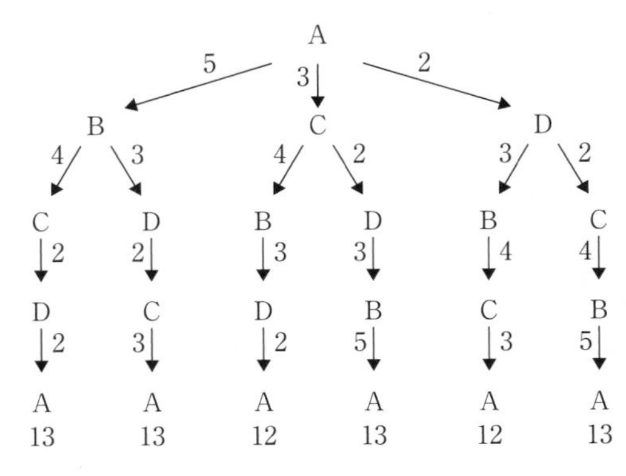

図 2-6　**すべての場合**

疑問に思われる方も多いだろう。この問題はある意味で誰でもできる簡単な問題なのだ。しかし，ある意味では誰にもできない非常に難しい問題なのだ。

何が問題なのだろうか。原理的には解けるのだが，現実的に解けるかどうかが問題なのだ。すなわち，計算量，計算時間が問題なのだ。

どの程度の計算時間が必要だろうか。さっきの，都市数が4のときは，出発した都市を除く3つの都市の順番の選び方だから$3! = 3 \cdot 2 \cdot 1 = 6$通りだった。1つの回り方が決まるとその逆順も同じ回り方だから，その半分で良いのだが，ここでは簡単のために全部数える。一般に都市数nのときは，すべての場合をあげると$(n-1)!$通りの計算が必要だ。階乗というのはどの程度の数字なのだろうか。小さな自然数の階乗を表にしてみると図2－7の通りである。ものすごい勢いで増加している。階乗を表すのになぜびっくりマークをつけたくなったかがわかるような気がする。

皆さんは指数関数が驚くべき速さで増大し無限大に発散することをご存知だろう。「指数関数的に増加する」などという表現がよく使われる。スターリングの公式というのがあって，nが大きいとき，$n!$は$\sqrt{2\pi n}\left(\frac{n}{e}\right)^n$（$\pi$は円周率，$e = 2.7182\cdots$は自然対数の底）で近似できる。細かい部分を無視すると$n!$はほぼn^nで近似できることとなり，階乗というのは指数関数e^nよりもさらに高速に増加していくことがわかる。

例えば30都市の巡回セールスマン問題の場合分けを計算すると一体どのくらいの時間がかかるのだろう。想像していただけるだろうか。驚くことに計算時間が宇宙の年齢を超えてしまう。実際には，すべての巡回経路の数え上げは不可能なのであ

1!	1
2!	2
3!	6
4!	24
5!	120
6!	720
7!	5,040
8!	40,320
9!	362,880
10!	3,628,800
11!	39,916,800
12!	479,001,600
13!	6,227,020,800
14!	87,178,291,200
15!	1,307,674,368,000
16!	20,922,789,888,000
17!	355,687,428,096,000
18!	6,402,373,705,728,000
19!	121,645,100,408,832,000
20!	2,432,902,008,176,640,000

図2-7　**階乗はびっくり!**

る。人類始まって以来の時間とか，地球が誕生してから今までの時間とかそういう小さな時間ではないのである。ビッグバンで宇宙が初めて誕生してから現在までの時間を超えてしまうのである。

そこで現実的にはこのような問題に対しては，だいたいそのような回り方をすれば，最短ではないかもしれないが，かなりましであるような道の取り方の計算がいろいろ工夫されている。

巡回セールスマン問題がどの程度難しいかは，いまだ決定されていない。まだ発見されていないが，ひょっとしたらもっと能率良くうまく計算するアルゴリズムがあるかもしれない。それと関連して，情報数学の大きな未解決問題である$P \neq NP$予想を紹介しよう。比較的計算量が小さい問題として，P問題というのがある。これは，多項式時間で正解が探せるプログラムが存在する問題である。ここで，多項式時間のプログラムとは，多項式$f(n) = a_k n^k + a_{k-1} n^{k-1} + \cdots + a_0$があって，入力データのサイズ$n$に対して，計算時間が$f(n)$以下となるプログラムのことである。一方，$NP$問題とは，答えが与えられたとき，正解であるかどうかを多項式時間のプログラムで検算できる問題である。多くの研究者が$P \neq NP$であることを信じているがいまだに未解決である。「$P = NP$か」という問題は，アメリカのクレイ数学研究所によって2000年に，100万ドルという莫大な懸賞金がかけられた，数学７つの問題（ミレニアム懸賞問題）の１つとなっている。もし巡回セールスマン問題が多項式時間で解けたら，$P = NP$となってしまうことがわかっている。果たしてどうだろうか。

２．３　パーティー問題の計算量――ラムゼイ理論入門

次の，哲学のような命題は正しいか？

命題　大きな構造があったとする。すると，その構造がどんなにでたらめでも，必ずその中にはある種の秩序が存在する。

うぅーーーん。難しい問題だ。そんなことわからない。ちょっと思いつかない，すばらしい問題設定のような気もするけど，なんとなく当たり前のような気もする。それでも，そんな

ことを示すのは非常に難しそうな気もする。うぅーーーー。

とりあえず，難しいことは忘れ，パーティーに行ってみよう。６人が集まったとする。そういうときには，最初そわそわして，自分の知り合いがいるかどうか気になるものだ。

６人がお互いに知り合いどうしかどうか調べてみよう。すると不思議なことに，次の少なくともどちらかが必ず成り立つというのだ。

(a) 知り合いどうしの３人が存在する。

(b) 知らない者どうしの３人が存在する。

これはラムゼイの定理とよばれる定理のうち最も素朴なものである。これは言いかえると，次のようになる。６人（ここでは1，2，3，4，5，6をその６人とする）を六角形の頂点として表し，あらゆる頂点を線で結ぶ。これらの線を**辺**とよび，各辺に次の規則で色をつける。知り合いの人どうしを結ぶ辺は赤（図では実線），知り合いでない人どうしを結ぶ辺は青（図では点線）とする。このときラムゼイの定理は，言いかえると，次の少なくともどちらかが必ず成り立つということである。

(a′) ある３つの頂点で，それらを結ぶ辺はすべて赤（＝実

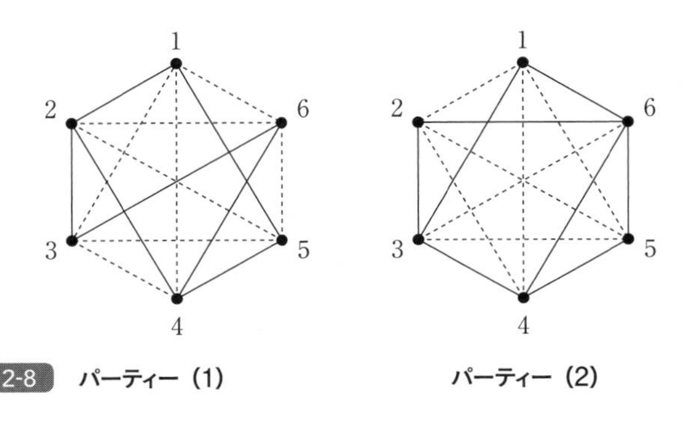

図 2-8　パーティー (1)　　パーティー (2)

線）であるものが存在する。

(b′) ある3つの頂点で，それらを結ぶ辺はすべて青（＝点線）であるものが存在する。

実際，パーティーに集まった人達の知り合い関係が例えばもし図2-8のパーティー（1）のようだったとする。(a′) または（b′）が成り立っているかどうか考えてみていただきたい。

どうやら（a′）が成り立ちそうもない。(b′) が成り立つ3頂点を見つけていただけるだろうか。ちょうど2組ある。そう，1，3，4の3頂点と，2，5，6の3頂点である。

それでは，次に知り合い関係がもしパーティー（2）のようだったらどうだろうか。

その通り，（a′）が成り立つ3頂点が1組，（b′）が成り立つ3頂点が2組存在する。そろそろ見つかっただろうか。そう，4，5，6の3頂点が（a′）をみたし，1，2，4と1，2，5の2組の3頂点が (b′) をみたす。

どうしてこんなことが成り立つのだろうか。示してみよう。それには自分が頂点1の立場に立ったとしてみんなを眺めてみると良い。自分以外は2から6までの5頂点だから，少なくとも次の2通りのどちらかが成立するはずである。

(ア) 頂点1と赤（＝実線）で結ばれている頂点が3個以上ある。

(イ) 頂点1と青（＝点線）で結ばれている頂点が3個以上ある。

なぜならば頂点1と赤で結ばれている頂点も，頂点1と青で結ばれている頂点も共に2個以下であるとすると，合わせても4個以下となり，2～6の5頂点はどれも必ず1と赤または青の辺で結ばれていることに矛盾する。

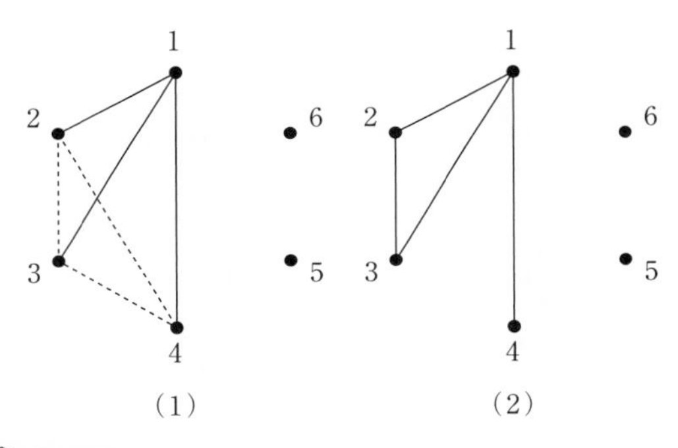

図2-9　証明図

まず（ア）の場合を考える。例えば2, 3, 4の3頂点が1と赤（＝実線）の辺で結ばれているとする。もしこの2, 3, 4の3頂点のうち，どの2人もお互いに青（＝点線）の辺で結ばれていたとすると，定理の結論の（b′）が成立することになって証明が終わる（図2－9（1））。

それではもし，2, 3, 4の3頂点のうち，ある2頂点が赤（＝実線）で結ばれていたらどうなるだろうか。例えば2と3が赤（＝実線）で結ばれていたとしよう。このときは頂点1, 2, 3を結ぶ三角形が赤い三角形となり，（a′）が成立して証明が終わる（図2－9（2））。

次に（イ）の場合はどうだろうか。そろそろ気がついていただいたと思う。（ア）の場合の議論の「赤い辺（＝実線）」と「青い辺（＝点線）」を取りかえれば同様に証明できる。ご自分で考えてみていただきたい。

ラムゼイ（1903－1930）は，ケンブリッジ大学で，論理学者，哲学者のラッセル，ヴィトゲンシュタインや経済学者のケインズに学び，経済学や論理学，数学で幅広い仕事をした。26

才で黄疸のため亡くならなければ恩師たちをしのぐ仕事をしたのではないかと言われている。ラムゼイは「6人の中の3人」という形だけではなく，もっと一般に次の定理が成立することを示した。

ラムゼイの定理

任意の自然数nに対して次の性質$p(R, n)$をみたす自然数Rが存在する。

性質$p(R, n)$：　R個の頂点のすべてを辺で結び，それらの辺を赤と青の2色に塗り分けると必ず次の少なくとも1つが成立する。

(1′) あるn個の頂点で，それらを結ぶ辺はすべて赤であるものが存在する。

(2′) あるn個の頂点で，それらを結ぶ辺はすべて青であるものが存在する。

この定理は，どんなnが与えられても，十分大きなR個の世界には，必ず秩序あるn個の世界があることを示している。つまり，たくさん取ってくると，それがどんなにでたらめな取り方でも，その中には必ずある種の秩序が存在するというわけである。

自然数nが与えられたとき，性質$p(R, n)$をみたす最小の自然数Rをnに対するラムゼイ数とよび，$R(n)$と表す。例えば，$R(3) = 6$である。実際，6がRの最小であることを示すには$R = 5$が$n = 3$に対する性質$p(R, n) = p(5, 3)$をみたさないことを示せば良い。すなわち5人だけのパーティーで，どの3人を取ってきても知り合いと知り合いでない人達が交ざっている例

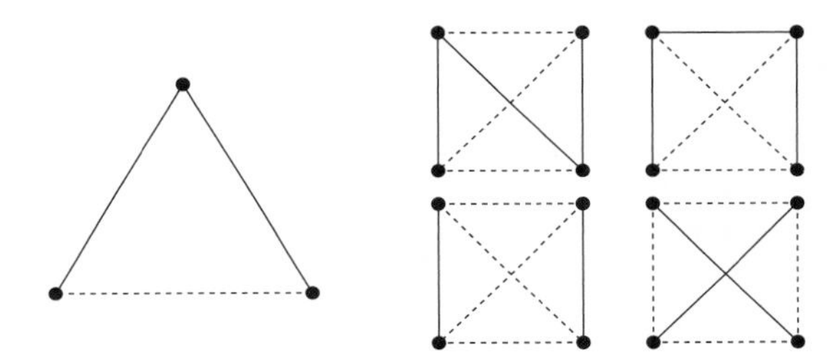

図 2-10　３人とか４人ではダメ！

を作れば良い。急に５人ではちょっと難しいかもしれないので，３人とか４人だったらどうだろう。ちょっと考えてみていただきたい。

例えば，図２－10のような例が作れる。

それではいよいよ５人に対して考えてみよう。ちょうど良い頭の体操になると思うので，ぜひ考えてみていただきたい。例えば図２－11には赤の三角形も青の三角形も存在しない。

いろいろな例が考えられると思うが，本質的には１通りであることがわかる。どんな例を作っても赤の線（＝実線）は，すべての頂点をぐるっと一周しているし，青の線（＝点線）もす

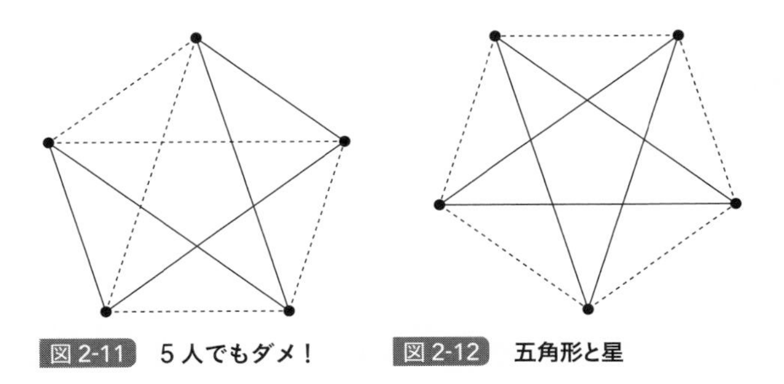

図 2-11　５人でもダメ！

図 2-12　五角形と星

べての頂点をぐるっと一周していることがわかる。最も単純な描き方をすると図2－12のようになる。

それでは$n = 4$，5，6，…と変化させていったとき，$R(n)$はどんな値になるだろうか。$R(4) = 18$である。すなわち，18人でパーティーを開くと，必ずその中の4人で，お互いに知り合いどうしか，全く知り合いでないどうしであるかであるものが存在する。しかし17人ではそのようなものが存在しないパーティーが可能である。ところが次の$R(5)$が現在でも求まっていないのである。十分大人数が集まれば大丈夫だということは，先ほどのラムゼイの定理からわかるのだが，何人ではダメだということの例を見つけるのが大変なのである。そんなの全部の場合を計算機で調べつくせば簡単じゃないかと思われるだろう。確かにその通りなのであるが，この計算は現在の計算機で行うには量が多すぎるのである。この程度の計算量が現在，私たちにとって現実的にはほぼ無限であると考えられる量なのである。例えば頂点が50個の場合，すべての頂点を線で結ぶと，その線の本数は$50 \times 49 \div 2 = 1225$本であるが，それらを赤と青に塗り分ける塗り分け方は2^{1225}通りという気の遠くなる数なのである。これを聞いてもあまりピンとこないかもしれない。10進法に直すと，2^{1225}とは，ほぼ6×10^{368}すなわち，6の後に0を368個書いてできる数である。2^nがどの程度の勢いで大きくなっていくか見ていただきたい（図2－13）。

ところで，ラムゼイの定理，こんな定理が一体何の役に立つのだろう。この定理が本質的に重要であるのは，これが2つのもののどんな関係にでも適用できるということなのだ。今まで，「2人が知り合い」と「2人が知り合いでない」という関係，「2つの頂点が赤で結ばれている」と「2つの頂点が青で

2^1 =	2	2^{16} =	65,536
2^2 =	4	2^{17} =	131,072
2^3 =	8	2^{18} =	262,144
2^4 =	16	2^{19} =	524,288
2^5 =	32	2^{20} =	1,048,576
2^6 =	64	2^{21} =	2,097,152
2^7 =	128	2^{22} =	4,194,304
2^8 =	256	2^{23} =	8,388,608
2^9 =	512	2^{24} =	16,777,216
2^{10} =	1,024	2^{25} =	33,554,432
2^{11} =	2,048	2^{26} =	67,108,864
2^{12} =	4,096	2^{27} =	134,217,728
2^{13} =	8,192	2^{28} =	268,435,456
2^{14} =	16,384	2^{29} =	536,870,912
2^{15} =	32,768	2^{30} =	1,073,741,824

図2-13　2^nの増え方

結ばれている」という関係に適用したが，ほかの関係でも良いのだ。

違う例を見てみよう。数直線上の6つの点P_1，P_2，…，P_6があったとしよう。各点P_iに対してある実数値$Q_i = f(P_i)$が定まっているとする。ただし，値Q_1，Q_2，…，Q_6は，すべて異なるとする。例えばそのグラフが図2－14のようになっていたとしよう。

このとき，ラムゼイの定理を用いると，P_1，P_2，…，P_6のなかから3つの点をうまく選ぶと，そこで増加関数か，減少関数になっていることがわかる。このグラフの場合は，どの3点を選んだら良いだろうか。図2－15（1）のように，例えばP_2，

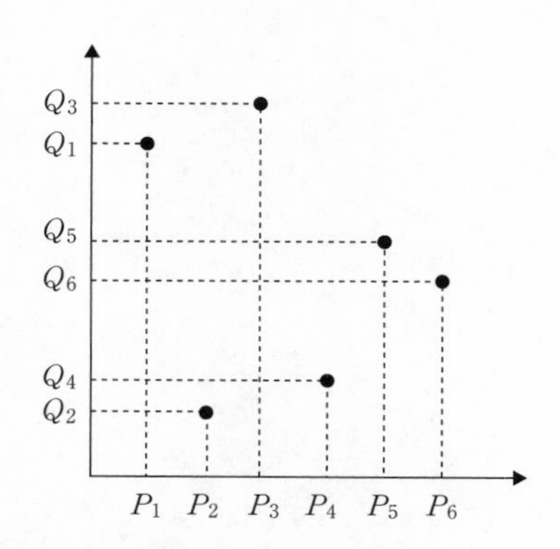

図 2-14　**グラフを使って考える**

P_4，P_5上で関数 $Q_i = f(P_i)$ は増加関数である。また，この場合減少関数になっているところもある。図2 - 15（2）のように，例えばP_1，P_5，P_6上で関数 $Q_i = f(P_i)$ は減少関数である。

どうしてだろうか。ラムゼイの定理を適用するために，グラフ上の任意の２つの点（P_i, Q_i）と（P_j, Q_j）に対してその２

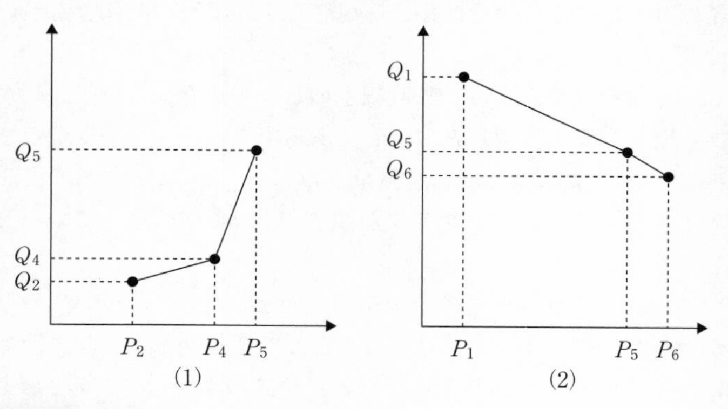

図 2-15　**3 点の選び方**

点を結んだ直線の傾きが正ならば2点を赤（＝実線）で結び，2点を結んだ直線の傾きが負ならば2点を青（＝点線）で結ぶ。今の例の場合，図2－16が得られることになる。

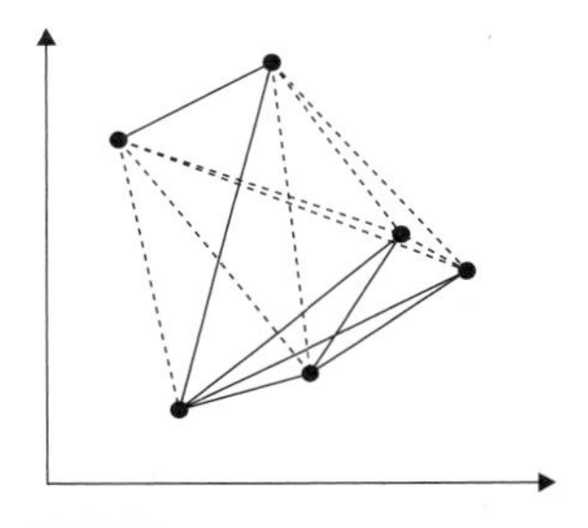

図2-16
ラムゼイの定理の使い方

すると，ラムゼイの定理から，必ずグラフ上の3点があってそれらはすべて赤で結ばれているか，それらはすべて青で結ばれているかである。このとき，もし3点がすべて赤（＝実線）で結ばれているならば，その3点のところで増加関数であり，もし3点がすべて青（＝点線）で結ばれているならば，その3点のところで減少関数となるのである。

今，6点の上での関数を考えたが，実際は，図2－17のような，5点上での異なる値をもつどのような関数に対しても，このような3点を選ぶことができる。興味がある方は理由を考えてみていただきたい。

ただし，4点ではダメである。例えば図2－18の例がある。

ラムゼイ理論はのちに，放浪の数学者**ポール・エルデシュ**（1913－1996）らによってさらに発展させられた。エルデシュはどこにも勤めず，どこにも定住せず，さすらいながら，数学の研究をした。20世紀最大の数学者の1人

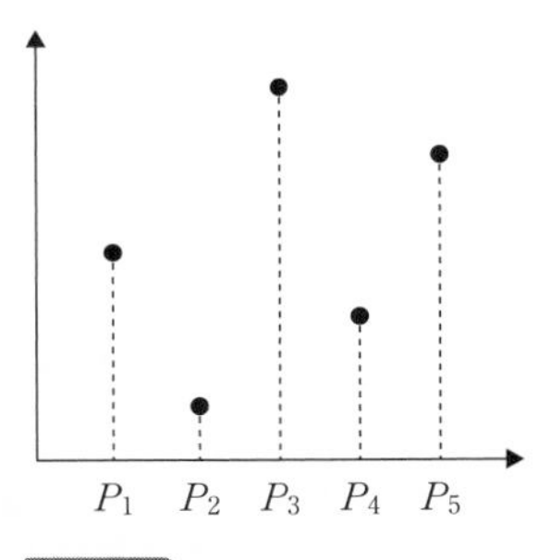

図2-17　5点でOK

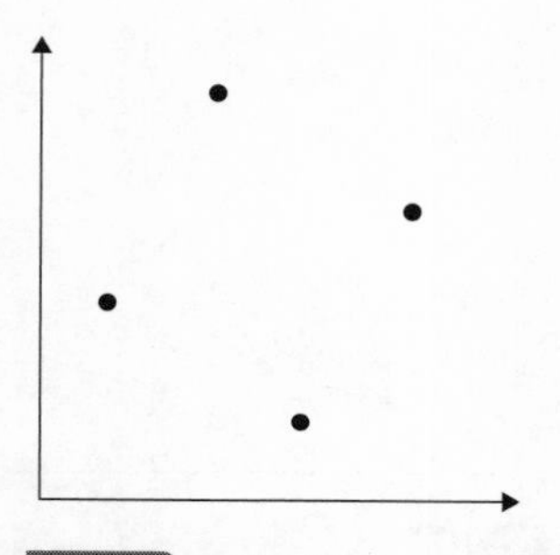

図 2-18　4点ではダメ

で，しかもひとなつこく優しいエルデシュを，世界中の数学者たちは喜んで受け入れ，世話した。もらったわずかなお金をエルデシュはみんな誰かにやってしまった。エルデシュの書いた論文数は1475にものぼり，数学者として史上最も共著が多い。そこで，エルデシュとの共著者という栄誉にどれだけ近いかを表す数，**エルデシュ数**というものが考えられた。エルデシュと共著論文を書いた人はエルデシュ数1，その人とさらに共著論文を書いた人はエルデシュ数2，…とする。ただし，このようにして，エルデシュと共著論文を書いた人と共著論文を書いた人と…共著論文を書いた人というようにエルデシュとつながることが決してない人のエルデシュ数は∞と定義する。すると，世界中のかなりの数学者が有限のエルデシュ数をもつのではないかと言われている。

2.4 暗号理論——現実的無限の産物

2.4.1 暗号とは

暗号をご存知だろうか？　忍者やスパイを思い浮かべる人も多いと思う。

しかしそういうイメージとは別に，暗号は現代社会にとって欠かせないものとなっている。例えば皆さんが電子メールで誰かと通信するとき，その通信内容がほかの人に知られるとまずいと思ったら，暗号化して送ることができる。電子商取引ではそのようにすることが多い。また，銀行での送金でも暗号が用いられる。なぜならば，情報がそのまま送られると，途中で誰かが割りこんできて，その金額を操作したり，勝手に誰か違う人の口座に振り込んだり，自由なことができてしまうからである。

ここでは，**RSA暗号方式**とよばれる**公開鍵暗号方式**の1種を紹介しよう。2つの方式名の意味については，気にしないでいただいて結構である。RSA暗号方式では，整数の理論を用いる。まず，整数に関する用語を思い出しておこう。

2.4.2 素数とは

——素数とは何ですか？

「1とその数以外の自然数では割り切れない自然数です」

——本当にそうですか？　それでは1は素数ですか？　1は，1とその数1以外の数では割り切れないのではないですか？

「うーーーーん」

「1は素数ではありません」

——どうしてですか？

「確か，1は素数の仲間には入れないのです」

その通りである。正確に言うと，**素数**とは1以外の自然数で，1と自分自身以外の数で割りきれない数のことである。どんな自然数が素数なのだろうか。ためしに，1から100までの素数を小さい順に書いてみよう。次の25個である。

2　3　5　7　11　13　17　19　23　29　31　37　41
43　47　53　59　61　67　71　73　79　83　89　97

素数は無限個あることが知られている。そのことは5.4節で示す。

2.4.3 ひとりぼっちの素因数分解の難しさ

素因数分解を思い出そう。そう，自然数を素数の積として表すことである。例えば60を素因数分解してみよう。まず，60は2で割り切れるので，$60 = 2 \cdot 30$。次に30は，さらに2で割り切れるので，$30 = 2 \cdot 15$。こんどは$15 = 3 \cdot 5$となる。以上をまとめると，$60 = 2 \cdot 30 = 2 \cdot 2 \cdot 15 = 2 \cdot 2 \cdot 3 \cdot 5$となる。中学校からなじんでいるので素因数分解は簡単と思われているかもしれないが，素因数分解というのは実に時間がかかる至難のわざである。

今度は，もう少し大きい数8051を素因数分解してみよう。どうやって計算したら良いだろうか？　何で割り切れるか全く見当がつかない。仕方がないので，小さい数から順番に割り切れるかどうかチェックしていく。2で割り切れるか，3で割り切れるか，4で割り切れるか，…。もちろん2で割り切れないことがわかったら4で割り切れないこともわかるから全部の数についてチェックしなければならないということではない。すなわち，素数を小さい順に列挙していき，それらの素数で割り切れるかどうかだけをチェックすれば良い。

8051は$100 \cdot 100 = 10{,}000$より小さいから，8051がab（$a \leqq b$）と，積に表されたとすると，aは100より小さいはずである。したがって2から100までの素数を考え，8051がそれらで割れるかどうかチェックすれば良い。

実際にやってみていただきたい。そんなに簡単ではない。ひとりぼっちの自然数の素因数分解には膨大な計算の手間が必要なのだ。素因数分解の効率のよいアルゴリズムは発見されていない。自然数が大きいときの素因数分解はコンピュータでも，現実的にはほぼ無限の時間がかかると思って良い。

2.4.4 カップルの最大公約数計算のやさしさ

ところが，8051という数字がひとりぼっちではなく，相手がいたときには話が違い，ある種の計算は簡単にできてしまう。2つの自然数の最大公約数を求めるのは，素因数分解と似たような操作だが，実に簡単になり，コンピュータであっという間に計算できてしまうのである。

その方法は，**ユークリッドの互除法**とよばれる。例えば，8051と6557の最大公約数を求めてみよう。互除法とよばれる通り，お互いをどんどん割りあっていけば良いのである。

まず，$8051 \div 6557 = 1$余り1494。次に

$6557 \div 1494 = 4$余り581。さらに

$1494 \div 581 = 2$余り332。この調子でどんどん計算する。

$581 \div 332 = 1$余り249。

$332 \div 249 = 1$余り83。

$249 \div 83 = 3$余り0。

計算方法がおわかりいただけただろうか。$a \div b = q$余りrを行ったら，次の行では，$b \div r$を行うのである。そして，余りがゼロになったらおしまいである。余りがゼロになった行の1つ手前の行の余り，すなわち83が最大公約数となる。

実際，確かめてみよう。

$8051 \div 83 = 97$。97は素数であることが確かめられるので，8051の素因数分解は，$8051 = 83 \cdot 97$となる。

一方，$6557 \div 83 = 79$。79も素数であることが確かめられるので，6557の素因数分解は，$6557 = 79 \cdot 83$となる。

ユークリッドの互除法はなぜ正しいのか。次の定理が本質的である。

定理

a，bを自然数とする。$a \div b = q$余りrのとき，次の２つが成立する。

(1) 自然数nがa，bの公約数であるためには，nがb，rの公約数であることが必要十分条件である。

(2) したがって，(a，bの最大公約数)＝(b，rの最大公約数) となる。

(証明) もし (1) が正しいとすると，(a，bの公約数の集合)＝(b，rの公約数の集合) となり，２つの集合の最大の要素が一致する。ゆえに (2) が成立する。したがって (1) だけを示せば良い。

nがa，bの公約数とする。すると，$a = na'$，$b = nb'$(a'，b'は自然数) と表される。このとき，$a \div b = q$ 余りrより$a = bq + r$となるので，$r = a - bq = na' - nb'q = n(a' - b'q)$ となり，nはrの約数。nがbの約数であることは最初からわかっていたので，nはbとrの公約数となる。

逆にnがb，rの公約数とする。すると，$b = nb'$，$r = nr'$ (b'，r'は自然数) と表される。このとき，$a = bq + r = nb'q + nr' = n(b'q + r')$ となり，nはaの約数。nがbの約数であることは最初からわかっていたので，nはaとbの公約数となる。

この定理をさっきの例に適用し，ユークリッドの互除法がなぜうまくいくのか調べてみよう。

まず，8051 ÷ 6557 = 1余り1494なので，定理より，(8051, 6557の最大公約数) = (6557，1494の最大公約数)。

次に，6557 ÷ 1494 = 4余り581なので，定理より，(6557, 1494の最大公約数) = (1494，581の最大公約数)。

さらに，1494 ÷ 581 = 2余り332なので，定理より，(1494, 581の最大公約数) = (581，332の最大公約数)。

この調子でどんどんいくと，(8051，6557の最大公約数) = (6557，1494の最大公約数) = (1494，581の最大公約数) = (581，332の最大公約数) = (332，249の最大公約数) = (249, 83の最大公約数) = 83となる。

ところで，最後に83となったのはなぜだろうか。最終の割り算で，249 ÷ 83 = 3余り0となったので，249は83の倍数，したがって249と83の最大公約数は83そのものとなったのである。これで，ユークリッド互除法の原理の証明ができた。

（おまけ）

——えっ？　まだ納得いかないですか。

「ユークリッドの互除法の割り算を続けていくとなぜ終わるのでしょうか。確か余りがゼロになったら終わりということですが，いつまでも終わらないなどということはないのでしょうか」

——毎回の割り算で余りはどう変化していますか？

「あっ，そうか，余りは0以上の整数で，毎回どんどん減っているので最後にはゼロにたどり着くのですね」

2.4.5 暗号の方法

大きな自然数の素因数分解の計算量は膨大であり現実的には

無限で，素因数分解はほとんど不可能であると思ってよく(2.4.3)，それにひきかえ，２つの自然数の最大公約数を求めるユークリッドの互除法の計算は簡単である（2.4.4）ことを見てきた。

その計算量を正確に比較すると，対象になる自然数nに関しての多項式関数と，準指数関数の違いくらいである。ここで，多項式関数とは，n，n^2，n^3，…のような形の関数，準指数関数とは$2^{\sqrt{n}}$のような形の関数である。nと指数関数2^nの変化の違いは，２．３節，図2－13で見た。準指数関数$2^{\sqrt{n}}$は指数関数2^nより少しは小さいが，それでも自然数nが大きくなるとたちまち，現実的には計算不能になってしまう。

RSA暗号方式は，ユークリッド互除法と因数分解の，２つの計算量の差を利用して組み立てられている。原理は大体次のようである。いろいろ記号が出てくるがあまり気にせず大まかなアイデアをつかんでいただきたい。

A君はBさんからメッセージを受け取りたい。しかし，途中で誰かに盗聴される恐れがある（図2－19）。

そこでA君は膨大な大きさの素数p，qを決め，その積$N=pq$を求め，また，２つの自然数$p-1$，$q-1$の最小公倍数Lを

図2-19　状況

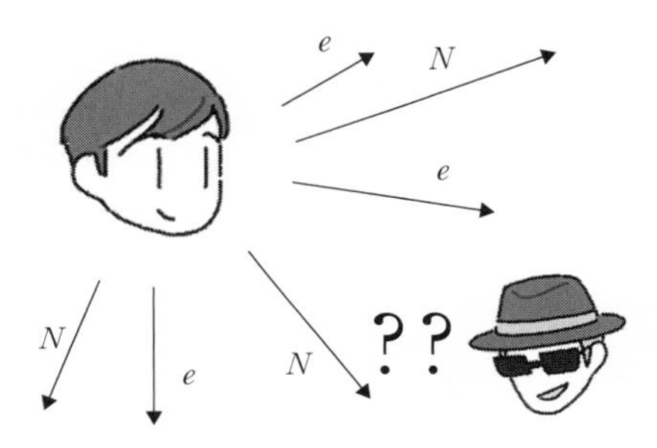

図 2-20　**p,q は誰にもわからない**

計算する。そしてLと互いに素なある自然数eを決める。ユークリッドの互除法で，$p-1$，$q-1$の最大公約数Dが簡単に計算できることから，$L=\dfrac{(p-1)(q-1)}{D}$は簡単に計算できる。また，大きな素数p，qを選んで来たり，eを求めるのも難しくないことが知られている。この計算がすんだら，Nとeをみんなに公開する（図2－20）。Nを世間に公開しても素因数分解の困難さからもとのp，qは誰にも計算できない。eの公開もp，qの計算には役に立たないので安全である。

さて，BさんはMというメッセージをA君に送りたい。ここでは，Mを数字，しかもN未満の自然数とする。BさんはNとeを使ってMを変形し，暗号M'としてA君に送る（図2－21）。誰かがM'を盗聴してもなんのことだかさっぱりわからない。p，qが手に入らないのでM'からMが復元できないのである。

暗号解読のために，A君は前もってLとeに対して，$Lc+ed=1$をみたす整数c，dを計算しておく（ただしdは正とする。Lとeが互いに素であるから，このようなc，dが存在する）。この計算はユークリッド互除法を用いて簡単にできる。そして

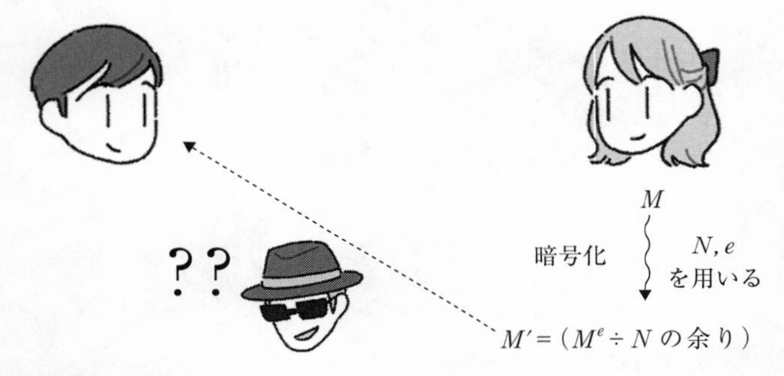

図2-21 **Mは何?**

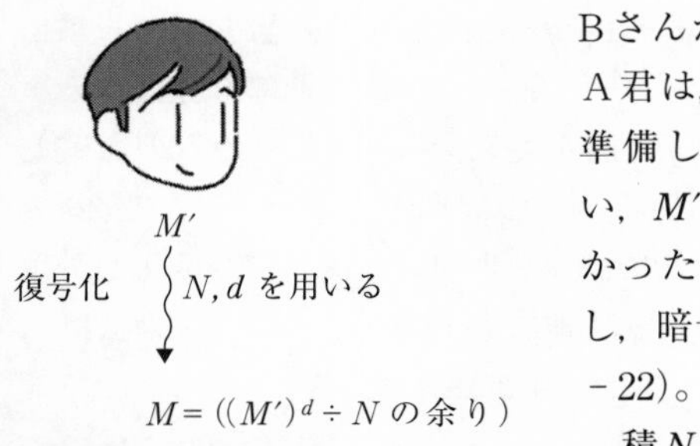

図2-22 **暗号の解読**

BさんからM'を受け取ったA君は，p，qから計算して準備しておいたNとdを使い，M'からBさんが送りたかったメッセージMを復元し，暗号解読を終える（図2-22）。

積$N = pq$を公開しても，暗号解読に必要なそれぞれのp，qを計算するには実質的に無限の時間がかかる。したがって盗聴者は決して暗号が解読できないのである。

2.5 規則的無限――エッシャーの絵の世界

平面上に描かれたパターンで無限を感じさせるものがある。その古典的規則正しさが無限の繰り返しを感じさせ，私たちを無限への憧れへと導く。図2-23はエッシャー（1898-1972）という版画家が描いたものである。

図2-23　Symmetry Drawing E67

図2-24　Circle Limit III

ある図形が与えられたとき，その図形をそのままぴったりとその図形に重なるようにうつす平面の合同変換をその図形の**対称変換**というが，この図形の対称変換にはどんなものがあるだろうか。

黒い騎士どうしは，お互いに平行移動で重なり合う。白い騎士どうしも同様である。しかし，それだけではない。黒い騎士は並進鏡映（つまり線対称をした後で平行移動すること）をすると白い騎士に重なる。このような変換の繰り返しが私たちの気持ちを無限へといざなう。エッシャーは，このような対称性のある版画を描き続けた。

それでは図2－24のエッシャーの絵はどうだろうか。どんな対称性があるか。

ちょっと難しいかもしれない。ここで考えられているのは普通の合同変換ではない。普通の距離ではない距離の測り方をして，その距離に関する合同変換を用いた対称性である。非ユークリッド幾何（ポアンカレの円板モデル）の合同変換と思ってもよい（4．10節，4．11節参照）。魚はその意味ですべて合同である。しかし何の予備知識のない私たちが見ても，この図は私たちを無限へと引き寄せる。不思議な世界だ。

2.6 カオス・フラクタルの規則と不規則

コンピュータ・グラフィックスの発達で，それまでは無限に近いと思われていた計算が実際にできるようになり，描けなかった図が描けるようになった。そして，それがきっかけで新しい理論が生まれた。フラクタルやカオスの理論もそのような仲間である。2つの理論は共に，規則正しい単純なルールから思いもかけない，一見不規則のように見える複雑なものが生成され，それを図に描くと非常に美しいという特徴をもっている。

まず，**フラクタル**から見ていこう。フラクタルの概念は，1975年にIBM，ワトソン研究所の**マンデルブロー**が導入したものである。例えば，陸中海岸のようなリアス海岸は，なめらかではなく非常にぎざぎざしている（図2－25）。

また，リアス海岸の図は，拡大しても複雑さは変わらない性質をもっている。これを**自己相似性**という。このような図形は，その複雑さを**フラクタル次元**というもので測ることができる。平面内のぎざぎざな曲線のフラクタル次元は，なめらかな曲線の1次元と，平面の2次元の中間の値を取る。実際，陸中海岸のフラクタル次元は約1.3であり，それは拡大しても同じである。

マンデルブローは，このような複雑な図形が非常に簡単な規則から作れることを発見した。

複素数αに対して，$f_\alpha(z) = z^2 + \alpha$という関数を考えよう。$z = 0$をこの関数に代入すると$f_\alpha(0) = \alpha$となる。さらにこの値を

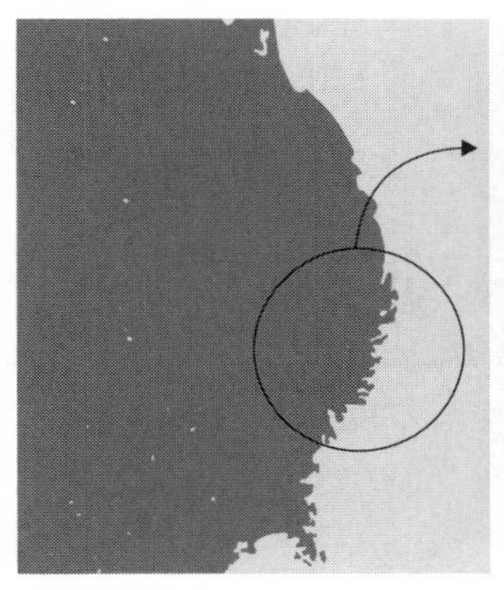
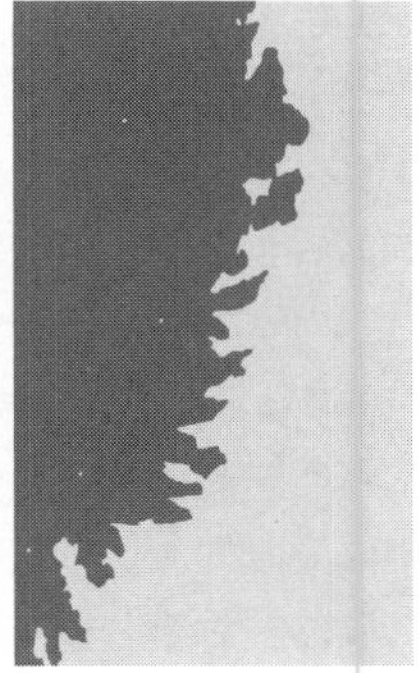

図 2-25　**陸中海岸**

この関数に代入すると$f_\alpha^2(0)=f_\alpha(f_\alpha(0))=f_\alpha(\alpha)=\alpha^2+\alpha$，$f_\alpha^3(0)=f_\alpha(f_\alpha(f_\alpha(0)))=f_\alpha(f_\alpha^2(0))=f_\alpha(\alpha^2+\alpha)=(\alpha^2+\alpha)^2+\alpha=\alpha^4+2\alpha^3+\alpha^2+\alpha$となる。これを繰り返し，$\lim_{n\to\infty} f_\alpha^n(0)$が無限大に発散しないような$\alpha$の集合を**マンデルブロー集合**という（図2－26）。たかが２次関数から出発したのにかかわらず，マンデルブロー集合は非常に複雑である。

マンデルブロー集合も自己相似性をもっている。もとの図形

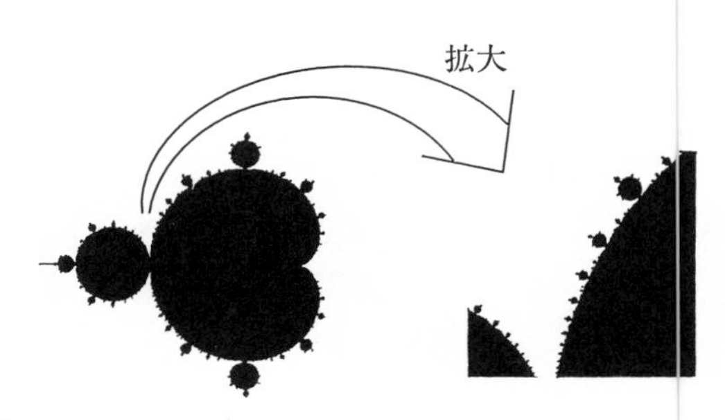

図 2-26　**マンデルブロー集合**

はハート型にこぶがついているような形をしている。その一部を拡大してみると，いたるところにこぶがある。さらにこぶを拡大して見るとまたそこに同じ形のこぶがついている。

こんどはカオスに目を向けてみよう。

カオスとは，日本語に訳すと混沌であるが，自然科学的な意味では，厳格な（＝決定論的な）法則にしたがっているのに，不規則に見えるような振舞をする現象，特に，ちょっとした変化が予測不可能な大きな変動を引き起こす現象を言う。

カオス理論を生み出した１人，気象学者ローレンツの論文の題名は「ブラジルで一匹の蝶がはばたくとテキサスで大竜巻が起こるか？」というもので，カオス理論を見事に象徴している。

彼は乱流の研究をし，ローレンツモデルという微分方程式を考え，非常に複雑なローレンツ・アトラクタというものに風の軌道がひきつけられることを示した。

さらにちょっとした初期値の変化で，風の軌道が全く異な

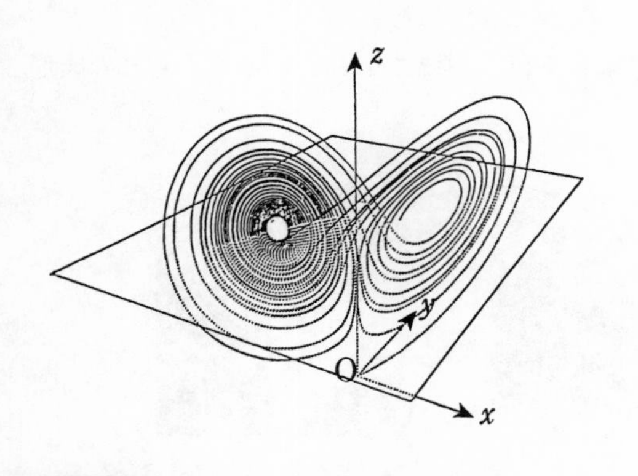

$$\frac{dx}{dt} = -10x + 10y$$

$$\frac{dy}{dt} = 28x - y - xz$$

$$\frac{dz}{dt} = -\frac{8}{3}z + xy$$

図 2-27　**ローレンツ・アトラクタ**

る，つまり，カオス状態になっていることもわかる。

もっと簡単な1次元の例でカオスを見てみよう。

図2－28のような簡単な関数を何回も繰り返したら，その動きはどうなるだろうか。

例えば，(1) のテント写像fを繰り返すとは，0と1の間の実数$x=x_0$から出発して，$x_1=f(x_0)$，$x_2=f(x_1)=f(f(x_0))$，…という動きを調べるのである。

すると，(1) のテント写像でも，(2) の2次関数でも，何回も繰り返すと，その動きは，初期値が少し違っただけで全く異なることがわかる。また，あらゆる周期が出てくる。すなわち，どんな自然数nに対しても，うまくxを選ぶと，ちょうどn回で，もとのxに戻ってくるようにできるのである。

このように，カオスでもフラクタル同様，簡単な規則がその無限回の繰り返しにより非常に複雑な現象を導く。

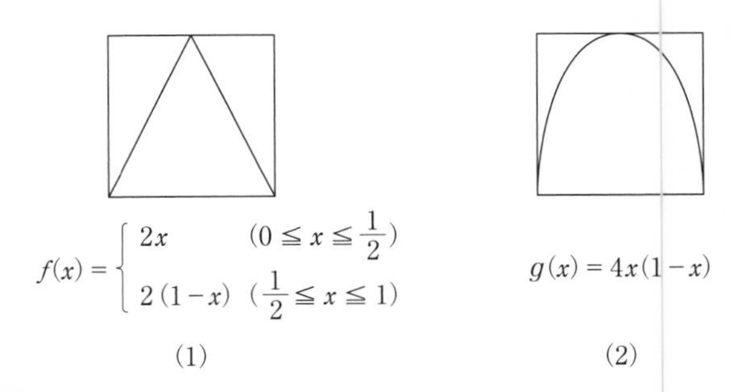

$f(x)=\begin{cases} 2x & (0 \leqq x \leqq \frac{1}{2}) \\ 2(1-x) & (\frac{1}{2} \leqq x \leqq 1) \end{cases}$
(1)
$g(x)=4x(1-x)$
(2)

図2-28　テント写像，2次関数

第3章
極限という考え方

3.1　ε-δ論法とε-n論法の気持ち

数列$\{a_n\}$がaという値に収束するということはどういうことか？　高校では，「番号nを限りなく大きくするとき，a_nが限りなくaに近づく」ことだった。習った当時，深く疑問に感じることなく自然と納得してしまった。限りなく近づく運動というのがなんとなくわかったような気がしていた。ところで一体「限りなく近づく」ということはどういうことか？　収束を厳密に議論しようとすると，「限りなく近づく」ということをきちんと表現する必要性が出てくる。そのことを行ったのがフランスの**コーシー**（1789－1857），ドイツの**ワイエルシュトラス**（1815－1897）たちで，彼らの努力でやっと解析学が近代化されたのである。

そもそも近づくとはどういうことか。数直線上で考えるよりも平面で考えた方がわかりやすいかもしれない。子どものときに，友達とけんかをして，「絶交だからな。お前絶対に俺の領地に近づくなよ」と宣言して，木の枝で地面の土に自分を中心とする大きな円を描いた経験をおもちの方もいらっしゃるだろう。近づくということはその円に踏み込んで入っていくことである。

私をA，友達をBとしよう。私Aは，自分の気持ちを踏みにじってその大きな円の中に入って来たBに対して非常に怒る。しかししばらくして少し弱気になって，友達Bを少し許してあげたくなる。本当は仲直りしても良いと思っているのだ。それでも自分が最初宣言した手前，「どうして入って来たんだよ」と怒ったふりをして，今度はさっきより小さ目の円を描き，「この中には絶対入ってくるなよ。入って来たら許さないぞ」と言う。それでも，しばらく経つとBが入ってくる……。

近づくということはこのような2人の駆け引きとして表現す

図 3-1　子どものけんか

ることができる。

これが，かの悪名高き ε-δ **論法**の発想である。ここではまだ δ が現れてこないので，ε-n **論法**とでも言おう。ε-δ 論法は，関数の連続性の厳密な定義をするときに現れ，昔は大学教養の授業で必ずやったものだが，最近ではやらないことも多いようだ。

ε-n 論法での収束は次の通りである。

収束の定義（ε-n 論法）

数列 $\{a_n\}$ が a という値に**収束**するとは，任意の正の数 ε に対して，ある番号 m を決めると，$n \geqq m$ をみたす任意の n に対して $|a_n - a| < \varepsilon$ となることと定義する。このとき，$\lim_{n \to \infty} a_n = a$ と表す。

ここでは，「限りなく近づく」という考え方が消えてしまっ

図 3-2　ε の意地と n の頑張り

ている。論理を用いて収束をゲーム的に考え，無限の議論をうまくさけることができたのである。

図3-2のεとnの勝負を見ていただきたい。

ε（さっきの私Aにあたる）は叫ぶ。

「おまえ，ここまで来れるか？」

そして半径ε_1の円を描く。そしたらn（さっきの友達Bにあたる）は言い返す。

「よーし頑張ってやる」

そしてある番号m_1のa_nまで進む。そしたらその番号から先のa_nは必ず，半径ε_1の円に入ってしまう。

「何だ，簡単じゃないか」

しゃくにさわった私εは，もっと小さい，半径ε_2の円を描く。

「どうだ。ここまでではどうだ。さあ，来れないだろう」

それにもめげず，nは言い返す。

「なにくそ！」……。

一見無味乾燥のように見えるε-n論法には，このような心理的葛藤がひそんでいるのである。具体例をあげてεとnの戦いを見てみよう。そして，高校時代の収束の考え方とここでの収束の考え方を比較してみよう。

例1　$\displaystyle\lim_{n\to\infty}\frac{1}{n}=0$

高校ではこれは当たり前のこととみなされた。nがどんどん大きくなるのだから$\dfrac{1}{n}$が0に近づくのは当然だと考えた。確かにその通りなのだが，ここでは，練習の意味でもε-n論法を適用してみよう。0に収束するということは，ε-n論法にもとづく定義によると，「任意の正の数εに対して，ある番号mを

決めると，$n \geqq m$をみたす任意のnに対して$|a_n - 0| < \varepsilon$，すなわち$|a_n| < \varepsilon$となる」ことだった。そこで，任意の正の数εが与えられたとしよう。$\frac{1}{n}$は正だから$|a_n| < \varepsilon$ということは，$\frac{1}{n} < \varepsilon$。言いかえると$n > \frac{1}{\varepsilon}$。したがって$n > \frac{1}{\varepsilon}$をみたす$n$の1つを取ってきて$m$とすると，$n \geqq m$をみたす任意の$n$に対して$|a_n - 0| = \frac{1}{n} \leqq \frac{1}{m} < \varepsilon$，すなわち$|a_n| < \varepsilon$となる。したがって$a_n$は0に収束する。このような$m$として無駄がないよう節約して取るには，$n > \frac{1}{\varepsilon}$をみたす最小の$n$を$m$と決めれば良い。

ε-n論法では，単に収束を定義するだけでなく，どの程度のn（すなわち$n \geqq m$）であればa_nはどの程度（すなわちaからεの距離以内に）aに近づくかという情報まで含んでいることに注意しよう。

例 2　$\lim_{n \to \infty} \frac{6n+1}{2n-1} = \frac{6}{2} = 3$

高校でのやり方は，分母，分子をnで割って，

$$
与式 = \lim_{n \to \infty} \frac{6 + \frac{1}{n}}{2 - \frac{1}{n}} = \frac{6}{2} = 3
$$

というものだった。ここで例1で示した$\lim_{n \to \infty} \frac{1}{n} = 0$という事実を用いた。

さて，これをε-n論法で証明しよう。少しややこしい。

$$
a_n - a = \frac{6n+1}{2n-1} - 3 = \frac{(6n+1) - 3(2n-1)}{2n-1} = \frac{4}{2n-1}
$$

ここで，$\frac{4}{2n-1}$が正であることより，$|a_n - a| < \varepsilon$は，

$\dfrac{4}{2n-1}<\varepsilon$と書き換えられる。変形して，

$$4<\varepsilon(2n-1)$$

ゆえに，$2\varepsilon n>4+\varepsilon$。

したがって，$n>\dfrac{2}{\varepsilon}+\dfrac{1}{2}$であれば，$|a_n-a|<\varepsilon$となる。この場合も，$m$として，$n>\dfrac{2}{\varepsilon}+\dfrac{1}{2}$をみたす$n$の任意の1つ，あるいは節約したかったら最小のものとすれば良い。

例1のときは$n>\dfrac{1}{\varepsilon}$であれば極限との距離がεのところまで近づけた。ところが，例2では，$n>\dfrac{2}{\varepsilon}+\dfrac{1}{2}$のとき極限との距離が$\varepsilon$のところまで近づけた。だから例2では，$n$が例1のときの$\dfrac{1}{\varepsilon}$の2倍以上に番号を増やさないと極限との距離が$\varepsilon$のところまで近づけないことがわかる。このように，$\varepsilon$-$n$論法は，単に収束を定義するだけでなく，近づく速さを比較したり誤差の評価をしたりすることができるのである。

さて，それでは数列が無限大に発散するということをε-n論法で定義するとどうなるだろうか。ここまで読み進んでこられた方にとってはもう簡単に想像がつくだろう。いくらでも大きくなるということをうまく表現すれば良いのである。ただし，今度は私Aと子どもの頃の友達Bとではすまないかもしれない。いくらでも遠くへ行くように指示する者が必要である。それは無限遠方にいる悪魔かもしれないが……（図3-3）。

そう，数列が無限大に発散するというのはε-n論法では次の通りである。

図 3-3　悪魔の誘惑と n のつかまり方

$a_n \to \infty$ の定義

実数の数列 $\{a_n\}$ が $+\infty$ に発散するとは，任意の実数 R に対して，ある番号 m を決めると，$n \geqq m$ をみたす任意の n に対して $a_n > R$ となることと定義する。このとき，$\lim_{n \to \infty} a_n = +\infty$ と表す。

3．2　ε–n 論法なしでは示せない

ε–n 論法がないときちんと証明できない問題を紹介しよう。

2つの数列の和，一般に有限個の数列の和では，次の公式が成立することに注意しておく。これは高校でも習った。ここでは省略するが，興味のある方は ε–n 論法できちんと証明してみると良い練習になる。

2つの場合：

$$\lim_{n \to \infty} (a_n + b_n) = \lim_{n \to \infty} a_n + \lim_{n \to \infty} b_n$$

一般のk個の場合：

$$\lim_{n\to\infty}(a_{1,n}+a_{2,n}+\cdots+a_{k,n})=\lim_{n\to\infty}a_{1,n}+\lim_{n\to\infty}a_{2,n}+\cdots+\lim_{n\to\infty}a_{k,n}$$

それでは$\lim_{n\to\infty}a_n=\alpha$ならば，$\lim_{n\to\infty}\dfrac{a_1+a_2+\cdots+a_n}{n}$はどんな値になるのだろうか。

「そんなこと，さきほどの公式を使ったら簡単ではないか。$\lim_{n\to\infty}a_n=\alpha$ならば，与式を変形して，$\lim_{n\to\infty}\left(\dfrac{a_1}{n}+\dfrac{a_2}{n}+\cdots\right)=\lim_{n\to\infty}\dfrac{a_1}{n}+\lim_{n\to\infty}\dfrac{a_2}{n}+\cdots=0+0+\cdots=0$となる」などとやってはいけない。

なぜだろうか。さきほどの公式は各項が定まった有限の個数の和になっている場合の公式である。今私たちが考えている数列の一般項をb_nとすると，b_nは，次のようになる。

$$b_1=\frac{a_1}{1}$$

$$b_2=\frac{a_1+a_2}{2}=\frac{a_1}{2}+\frac{a_2}{2}$$

$$\cdots$$

$$b_n=\frac{a_1+\cdots+a_n}{n}=\frac{a_1}{n}+\cdots+\frac{a_n}{n}$$

$$\cdots$$

だんだん加える項の数が増加している。n番目の項b_nは，n個の項の和となっている。例えば，b_1，b_2，b_3，…の各和に含まれる最初の項は，確かに$\dfrac{a_1}{1}$，$\dfrac{a_1}{2}$，$\dfrac{a_1}{3}$，…というようにnが増えればどんどん小さくなっているが，nが増えればb_nを計算するときに加える項の数n個もどんどん増えていっているのである。

さあ，このb_n，すなわちa_nの最初のn個の項の平均は一体何に収束するのだろうか。答えは次のようになる。

定理1　$\lim_{n \to \infty} a_n = \alpha$ならば，

$$\lim_{n \to \infty} \frac{a_1 + a_2 + \cdots + a_n}{n} = \alpha$$

である。

まず，定理1の特殊な場合，$\alpha = 0$のときを考えよう。

定理1′　$\lim_{n \to \infty} a_n = 0$ならば，

$$\lim_{n \to \infty} \frac{a_1 + a_2 + \cdots + a_n}{n} = 0$$

である。

この特殊な定理1′が示せればもとの定理1が示せるということは次のようにしてわかる。$\lim_{n \to \infty} a_n = \alpha$としよう。$c_n = a_n - \alpha$とすると，$c_n$は0に収束する。したがって定理1′より，

$$\lim_{n \to \infty} \frac{c_1 + c_2 + \cdots + c_n}{n} = 0$$

ところで左辺は

$$\lim_{n \to \infty} \frac{(a_1 - \alpha) + (a_2 - \alpha) + \cdots + (a_n - \alpha)}{n}$$
$$= \lim_{n \to \infty} \left(\frac{a_1 + a_2 + \cdots + a_n}{n} - \alpha \cdot n \cdot \frac{1}{n} \right)$$
$$= \lim_{n \to \infty} \frac{a_1 + a_2 + \cdots + a_n}{n} - \alpha$$

$\frac{a_1}{1}$	$\frac{a_2}{1}$	$\frac{a_3}{1}$	…
$\frac{a_1}{2}$	$\frac{a_2}{2}$	$\frac{a_3}{2}$	…
$\frac{a_1}{3}$	$\frac{a_2}{3}$	$\frac{a_3}{3}$	…
…	…	…	

図 3-4
並んだようす

したがって

$$\lim_{n \to \infty} \frac{a_1 + a_2 + \cdots + a_n}{n} - \alpha = 0$$

したがって

$$\lim_{n \to \infty} \frac{a_1 + a_2 + \cdots + a_n}{n} = \alpha$$

となる。

それでは，定理1′を示すことにしよう。その前に，定理1′の難しさはどこにあるか，その構造を調べてみよう。そのために，和に現れる数を図3－4のように並べてみよう。このとき，次の２つのことに注意しよう。

(1) それぞれの縦の列は，0に収束する。

(2) それぞれの横の行は，0に収束する。

なぜならば，(1) は，n番目の列が$\frac{a_n}{1}$，$\frac{a_n}{2}$，$\frac{a_n}{3}$，…で，a_nが一定だからである。(2) は，m番目の行が$\frac{a_1}{m}$，$\frac{a_2}{m}$，$\frac{a_3}{m}$，…であり，mが一定で，また，仮定より，$\{a_n\}$が0に収束するからである。

$a_{1,1}$	$a_{2,1}$	$a_{3,1}$	…
$a_{1,2}$	$a_{2,2}$	$a_{3,2}$	…
$a_{1,3}$	$a_{2,3}$	$a_{3,3}$	…
…	…	…	

図 3-5
抽象的に書くと

$\frac{a_n}{m}$を$a_{n,m}$と表すと図3－5のようになる。

各横の行から少しずつつまみ食いをして，図3－6のような数列$\{b_n\}$を作る。すると，図3－4にあてはめると，$b_n = a_{1,n} + a_{2,n} + \cdots + a_{n,n} = \frac{a_1}{n} + \frac{a_2}{n} + \cdots + \frac{a_n}{n} = \frac{a_1 + a_2 + \cdots + a_n}{n}$となり，定理1′の結論は，$\{b_n\}$が0に収束す

ることである。

この，$\{b_n\}$ が0に収束することを示す問題の難しさを感じとっていただくために，一般の図3－5の形の数列 $\{a_{n,m}\}$ が，さきほどの（1），（2）を満たしているからといって，$\{b_n\}$ が収束するとは限らないことを示そう。

$b_1 = a_{1,1}$

$b_2 = a_{1,2} + a_{2,2}$

$b_3 = a_{1,3} + a_{2,3} + a_{3,3}$

…

図 3-6
つまみ食いのしかた

例えば，図3－7を考える。

このとき，つまみ食いの数列は，

$$b_1 = a_{1,1} = 1$$

$$b_2 = a_{1,2} + a_{2,2} = \frac{1}{2} + \frac{1}{2} = 1$$

$$b_3 = a_{1,3} + a_{2,3} + a_{3,3} = \frac{1}{3} + \frac{1}{3} + \frac{1}{3} = 1$$

$$\cdots$$

となる。一般に b_n は，$\frac{1}{n}$ の n 個の和となって常に1となる。したがってそのつまみ食いの極限 $\lim_{n \to \infty} b_n$ は1となってしまい，0にはならない。

さらに，$\{b_n\}$ が発散するように作ることもできる。少し考えてみていただきたい。

例えば図3－8のようにすれば良い。

すなわち，図3－7の第1列を1倍，第2列を2倍，第3列を3倍，…のようにすると，縦の列はやはりすべて0に収束するが，$b_n = \frac{1+2+\cdots+n}{n} = \frac{n(n+1)}{2} \times \frac{1}{n} = \frac{n+1}{2}$ とな

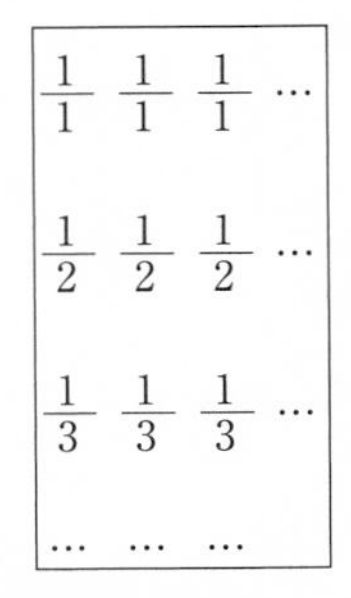

図 3-7
つまみ食いが0に収束しない

$\frac{1}{1}$	$\frac{2}{1}$	$\frac{3}{1}$	…
$\frac{1}{2}$	$\frac{2}{2}$	$\frac{3}{2}$	…
$\frac{1}{3}$	$\frac{2}{3}$	$\frac{3}{3}$	…
…	…	…	

図 3-8

発散するつまみ食い

り，$\lim_{n\to\infty} b_n = \infty$となる。

このように縦の数列が0に収束すると言ってもそれぞれの縦の数列の収束するスピードの違いでそのつまみ食いの和はいくらにでも変化させることができる。問題の困難さがおわかりいただけただろうか。

えっ，これだけじゃ納得できないって？　それは鋭い。

まだ，(2) の条件が残っているじゃないかって？　図3-7も図3-8も，その条件を満たしていない。その通りである。でも，ここまで来たら，あとほんの一息である。もし，(2) の条件を加えたかったら，図3-7′や図3-8′のように，図3-7，図3-8で，b_nの和に現れなかった項をすべて0にすればよい。

さて，それではいよいよ定理1′を証明しよう。これが理解できたらε-n論法をかなり理解したと言っても良いだろう。

$\lim_{n\to\infty} a_n = 0$を仮定し，$b_n = \dfrac{a_1 + a_2 + \cdots + a_n}{n}$とおいたときに，$\lim_{n\to\infty} b_n = 0$を示したい。$\lim_{n\to\infty} b_n = 0$は，定義によると「任意の正の数$\varepsilon$に対して，ある番号$m$を決めると，$n \geqq m$をみたす任意の$n$に対して$|b_n - 0| = |b_n| < \varepsilon$となる」ことである。

$\frac{1}{1}$	0	0	0	…
$\frac{1}{2}$	$\frac{1}{2}$	0	0	…
$\frac{1}{3}$	$\frac{1}{3}$	$\frac{1}{3}$	0	…
…	…	…		

図 3-7′

$\frac{1}{1}$	0	0	0	…
$\frac{1}{2}$	$\frac{2}{2}$	0	0	…
$\frac{1}{3}$	$\frac{2}{3}$	$\frac{3}{3}$	0	…
…	…	…		

図 3-8′

そこで，任意の正の数εが与えられたとする。a_nが0に収束することから，正の数$\frac{\varepsilon}{2}$に対して収束の定義を適用すると，ある番号m_1があって，$n \geqq m_1$をみたす任意のnに対して

$$(1) \quad |a_n - 0| = |a_n| < \frac{\varepsilon}{2}$$

となる。m_1が定数として定まったので，m_1番目までの数列の和$S = a_1 + a_2 + \cdots + a_{m_1}$も，動かない定数となる。したがって十分大きな$m_2$を取ると，

$$(2) \quad \frac{|S|}{m_2} < \frac{\varepsilon}{2}$$

をみたす。

このとき$n \geqq m_2$ならば，もちろん

$$(3) \quad \frac{|S|}{n} < \frac{\varepsilon}{2}$$

となる。そこで$m = \max\{m_1,\ m_2\} + 1$とすると，$n \geqq m$ならば上の（1），（3）の両方が成り立つので，

$$|b_n| = \left| \frac{(a_1 + a_2 + \cdots a_{m_1}) + a_{m_1+1} + \cdots + a_n}{n} \right|$$

$$= \left| \frac{S}{n} + \frac{a_{m_1+1}}{n} + \cdots + \frac{a_n}{n} \right|$$

$$\leqq \left| \frac{S}{n} \right| + \left| \frac{a_{m_1+1}}{n} \right| + \cdots + \left| \frac{a_n}{n} \right|$$

$$< \frac{\varepsilon}{2} + \frac{|a_{m_1+1}| + \cdots + |a_n|}{n}$$

$$\leqq \frac{\varepsilon}{2} + \frac{|a_{m_1+1}| + \cdots + |a_n|}{n - m_1}$$

$$< \frac{\varepsilon}{2} + \frac{\varepsilon}{2} = \varepsilon$$

２行目から３行目への変形に三角不等式$|x+y| \leqq |x|+|y|$，一般に$|x_1+x_2+\cdots+x_n| \leqq |x_1|+|x_2|+\cdots+|x_n|$を用いた。

最後から２行目の第２項の分母は0ではない。なぜならば，$n \geqq m \geqq m_1+1$より$n > m_1$だからである。また，最後から２行目から最後の行への変形は，次の理由からできた。各$a_i(i = m_1+1, \cdots, n)$は，$i > m_1$と（1）より，$|a_i| < \frac{\varepsilon}{2}$をみたす。したがって，$n - m_1$個の項の和$|a_{m_1+1}| + \cdots + |a_n|$は，$\frac{\varepsilon}{2} \cdot (n - m_1)$より小さい。

以上より，定理1′，したがって定理１が証明できた。

この証明のアイデアはかなり難しい。気持ちで理解していただけただろうか。あるところから先のa_nの粒は十分細かいので，いくら集めてきても平均すると細かい。またそれ以前の粒

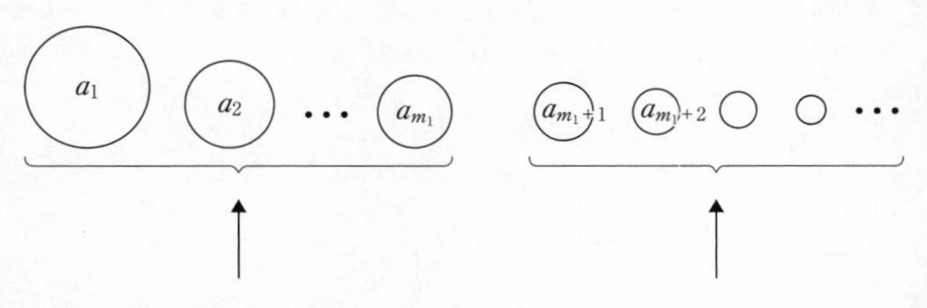

図 3-9　２つのアイデア

の和（動かない定数）は，十分大きな数で割ると小さくなる。そういうことである。

3．3　級数の収束とは

数列$\{a_n\}$が与えられたとき，$a_1 + a_2 + \cdots + a_n + \cdots$なる形のものを**無限級数**という。「なる形のもの」というあいまいな言い方をしたが，無限級数の和というものはどのように定義したら良いだろうか。ちょっとした頭の体操から始めよう。

$$1 - 1 + 1 - 1 + 1 - 1 + \cdots$$

という級数の和はどのようにとらえたら良いだろうか。そんなものすでに習って知っている。何でこんなわかりきったことをいまさら聞くのかと思われるかもしれない。しかしそんなに明らかなことではない。実際，17世紀頃までは，この和をどうとらえたら良いのかわからず困っていた。

少し考えてみると，これは，項の加え方の順番を変えることによってあらゆる整数に収束させられることがわかる。

例えば0に収束させたかったら，どうすれば良いか。これは容易だろう。その通り。数の並び方はこのままにしておいて2つずつ括弧でくくれば良い。それぞれの括弧の中の和はゼロなので，

$$(1 - 1) + (1 - 1) + (1 - 1) + \cdots = 0 + 0 + 0 + \cdots = 0$$

となる。

1に収束させるにはどうだろう。それには，最初を除いてあ

と2つずつ括弧でくくっていけば良い。つまり，$1+(-1+1)+(-1+1)+(-1+1)+\cdots=1+0+0+0+\cdots=1$で大丈夫だ。

それでは，3を作るにはどうしたら良いだろうか。もはや，数の並び方の順番をそのままにしてでは得られず，

$$
\begin{array}{ccccccccccccccccccccc}
1 & + & (-1) & + & 1 & + & (-1) & + & 1 & + & (-1) & + & 1 & + & (-1) & + & 1 & + & (-1) & + & 1 & + \cdots \\
① & & ② & & ③ & & ④ & & ⑤ & & ⑥ & & ⑦ & & ⑧ & & ⑨ & & ⑩ & & ⑪ &
\end{array}
$$

の順番を変える。最初の3つの1を先頭に出すのである。次に最初のマイナス1と残りのなかで最初のプラス1，次は2番目の，…。そして，順番を変え終わったら4番目以降を2つずつくくって括弧を加えて，

$$
\begin{array}{cccccccccccccccc}
1 & + & 1 & + & 1 & + & \{(-1) & + & 1\} & + & \{(-1) & + & 1\} & + & \{(-1) & + & 1\} & + \cdots \\
① & & ③ & & ⑤ & & ② & & ⑦ & & ④ & & ⑨ & & ⑥ & & ⑪ &
\end{array}
$$

とする。

すると，この和は$1+1+1+0+0+0+\cdots=3$となる。

同様にして，項の順番を変えることと括弧を組み合わせることによってあらゆる整数に収束させることができる。なぜなのか考えていただきたい。

以上の考察から無限級数の和というのは，項の和を取る順番が非常に大切であるということがわかる。現在では，順番も考慮して，無限級数の和を定義する。項の和を取る順番で最も自然なものは，最初からどんどん加えていくことである。すなわち，初項から第n項までの和をs_nとすると，

$$
\begin{aligned}
&s_1 = a_1 \\
&s_2 = a_1 + a_2 \\
&s_3 = a_1 + a_2 + a_3 \\
&\cdots \\
&s_n = a_1 + a_2 + \cdots + a_n \\
&\cdots
\end{aligned}
$$

となる。このとき，数列$\{s_n\}$の極限を，無限級数$a_1 + a_2 + \cdots + a_n + \cdots$の和$S$と定義する。数列の極限の定義は，高校での定義でも良いし，ε-n論法による定義でも良い。いずれにしてもすでに定義できている。したがって，無限級数の極限の定義もできるのである。$1-1+1-1+1-1+\cdots$の例では

$$
\begin{aligned}
&s_1 = 1 \\
&s_2 = 1 + (-1) = 0 \\
&s_3 = 1 + (-1) + 1 = 1 \\
&\cdots
\end{aligned}
$$

となり，$\{s_n\}$は，0，1，0，1，0，…というように振動する数列になる。したがって$1-1+1-1+1-1+\cdots$は収束せず，和Sは存在しないというのが正しい答えということになるのである。

項の順番の変更の深刻さは，この例のように，収束しない級数だけでなく，収束する級数の場合にもあてはまることを次の3.4節で見よう。

なお，もとの級数$1-1+1-1+1-1+\cdots$の和が$\frac{1}{2}$くらい

かなと思った方がいるかもしれない。それはそれで非常に鋭い見方である。答えとして正しいとは言えないが，ある意味で的を射ている。そのように想像した数学者もいた[1)]。２通りの考え方がある。

（考え方１）等比級数の和の公式を思い出してみよう。初項がaで，公比がrの無限等比級数

$$S = a + ar + ar^2 + ar^3 + \cdots$$

は，$|r| < 1$のとき収束し，その和は

$$S = \frac{a}{1-r}$$

であった。とくに$a = 1$とすると，

$$\frac{1}{1-r} = 1 + r + r^2 + r^3 + \cdots$$

となる。ここで両辺に$r = -1$を代入すると，

$$\frac{1}{2} = 1 - 1 + 1 - 1 + \cdots$$

を得る。$r = -1$は，$|r| < 1$をみたさないので，本当はこの式は正しくないのだが，それでも形式的には$\frac{1}{2}$という値が出るのである。

（考え方２）次のように考えても良い。無限級数$1 - 1 + 1 - 1 + 1 - 1 + \cdots$の和は，その部分和からなる数列0, 1, 0, 1, 0, …の極限であると定義した。この数列は平均すると$\frac{1}{2}$程度であ

1) これは通常の数学では誤りではあるが，ある種の数学では，正当化される。例えば，参考文献［35］第Ⅰ部12，13節のオイラー，リーマンのゼータ関数の計算に現れる。

る。したがってその極限は $\dfrac{1}{2}$ であると想像できる。

3．4　条件収束級数

級数 $\sum_{n=1}^{\infty} a_n$ に対して，各項 a_n の絶対値 $|a_n|$ の和を取った級数 $\sum_{n=1}^{\infty} |a_n|$ を，もとの級数 $\sum_{n=1}^{\infty} a_n$ の**絶対値級数**とよぶ。

級数 $\sum_{n=1}^{\infty} a_n$ は，絶対値級数 $\sum_{n=1}^{\infty} |a_n|$ が収束するとき**絶対収束**すると言う。

項の順番をどのように取り替えても収束する級数は**無条件収束**すると言う。絶対収束すれば，もとの級数が収束し，さらに無条件収束することは大学の微分積分の授業でも良く出てくるので，ここでは証明なしでそれを認めることとする。さらに逆に，実数や複素数の数列は無条件収束すれば絶対収束することもわかる。したがって，実数や複素数の数列では絶対収束することは無条件収束するための必要十分条件なのである。ここでは，実数の数列の場合，無条件収束すれば絶対収束することを，例を用いて示してみよう。すなわち，次の定理を証明する。

定理2

実数の級数 $\sum_{n=1}^{\infty} a_n$ は，項の順番をどのように取り替えても収束するならば，絶対収束する，すなわち，$\sum_{n=1}^{\infty} |a_n|$ が収束する。

まず肩ならしとして，各項が正の級数の収束，発散を調べることから始めてみよう。

例 1　$1+\frac{1}{2}+\frac{1}{3}+\frac{1}{4}+\cdots$は無限大に発散する。なぜならば図3－10を見ていただきたい。

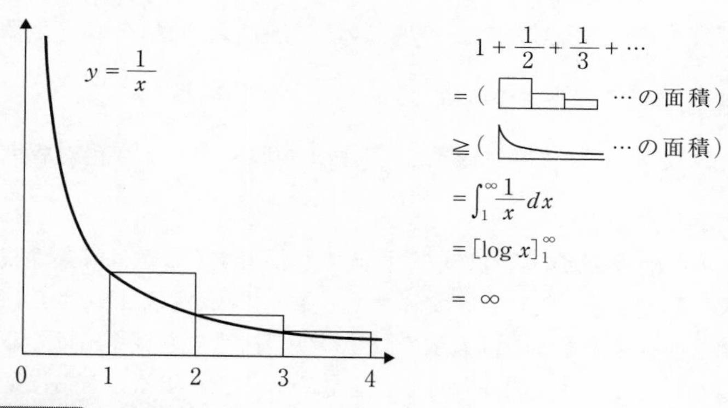

図 3-10　**発散する正項級数**

例 2　$1+\frac{1}{2^2}+\frac{1}{3^2}+\frac{1}{4^2}+\cdots$は収束する。今度は図3－11を見ていただきたい。

$1-\frac{1}{2^2}+\frac{1}{3^2}-\frac{1}{4^2}+\cdots$は，その絶対値級数$1+\frac{1}{2^2}+\frac{1}{3^2}+\frac{1}{4^2}+\cdots$が収束する，すなわち絶対収束するので収束する。

一方，$1-\frac{1}{2}+\frac{1}{3}-\frac{1}{4}+\cdots$は，その絶対値級数$1+\frac{1}{2}+\frac{1}{3}+\frac{1}{4}+\cdots$が収束しない。しかし，もとの級数は$\log 2$に収束する。なぜ，和が$\log 2$になるかは，次のように考えれば想像できる。$f(x)=\log(1+x)$とおくと，$f'(x)=\frac{1}{1+x}$となる。ここで高校で習った等差数列の和の公式を思い出すと，初項がaで，公比がrの無限等比級数$a+ar+ar^2+\cdots+ar^n+\cdots$の和は，$S=\frac{a}{1-r}$であった。この無限等比級数は$|r|<1$のとき収束する。そこで$a=1$，$r=-x$と考えると，$\frac{1}{1+x}=1-x+x^2-x^3+\cdots$

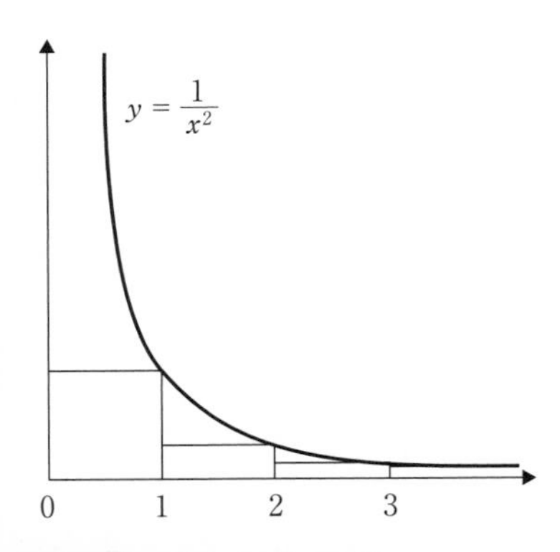

$$
\begin{aligned}
&1+\frac{1}{2^2}+\frac{1}{3^2}+\cdots\\
&=(\ \cdots\text{の面積})\\
&<(\ \cdots\text{の面積})\\
&=1+\int_1^\infty \frac{1}{x^2}dx\\
&=1+\left[-\frac{1}{x}\right]_1^\infty\\
&=1+1=2
\end{aligned}
$$

図3-11　**収束する正項級数**

$(|x|<1)$ となる。両辺をxで積分すると$\log(1+x)=C+x-\dfrac{x^2}{2}+\dfrac{x^3}{3}-\dfrac{x^4}{4}+\cdots$ $(|x|<1)$ となる。ここでCは積分定数である。Cは普通一番最後に書くが，無限個の和の後に加えるのは美しくないので先に書いた。両辺に0を代入して，$\log 1=C+0-0+\cdots$。ゆえに$0=C$となる。したがって

$$\log(1+x)=x-\frac{x^2}{2}+\frac{x^3}{3}-\frac{x^4}{4}+\cdots\quad(|x|<1)$$

を得た。

もとの級数$\dfrac{1}{1+x}=1-x+x^2-x^3+\cdots$が間違いなく収束する範囲は$|x|<1$であり，積分された級数$\log(1+x)=x-\dfrac{x^2}{2}+\dfrac{x^3}{3}-\dfrac{x^4}{4}+\cdots$もその範囲で収束する。その範囲の外である$x=1$での収束はこれだけではわからないが，$x=1$のときにも収束していることが知られている。したがって，積分された級数の両辺に$x=1$を代入して，求める結果$\log 2=1-\dfrac{1}{2}+\dfrac{1}{3}-\dfrac{1}{4}+\cdots$が得られる。

この例のように，級数 $\sum_{n=1}^{\infty} a_n$ は，収束するが絶対収束しないとき，**条件収束**すると言う。言葉遣いが紛らわしいので，もう一度復習すると，無条件収束とは，「項の順番に無関係に収束」することで，条件収束とは，「収束するが，絶対値級数は収束しない」ことであり，定義としてはお互い無関係であることに注意しよう。無条件収束は条件収束の否定として定義されるわけではないのである。

不思議なことに次のリーマンの定理が成立する。リーマンの定理から定理２が示せることに注意しておこう。なぜならば，$\sum_{n=1}^{\infty} a_n$ が項の順番をどのように取り替えても収束すると仮定する。もし，$\sum_{n=1}^{\infty} a_n$ が絶対収束しなかったとしよう。すると $\sum_{n=1}^{\infty} a_n$ は条件収束することとなる。したがって，リーマンの定理より項の順番を変えると∞に発散してしまい，仮定に矛盾する。

定理（リーマン）

条件収束する級数はその順番を変えることによってあらゆる実数に収束させることができる。さらに∞，−∞に発散させることもできる。

例えば，$\log 2 = 1 - \frac{1}{2} + \frac{1}{3} - \frac{1}{4} + \cdots$ は条件収束する。この数列に対してリーマンの定理がなぜ成立するのか調べてみよう。

まず，$\log 2 = 1 - \frac{1}{2} + \frac{1}{3} - \frac{1}{4} + \cdots$ の正の項の和 $S_+ = 1 + \frac{1}{3} + \frac{1}{5} + \cdots$ も負の項の絶対値の和 $S_- = \frac{1}{2} + \frac{1}{4} + \frac{1}{6} + \cdots$ も共に∞に発散することに注意しておこう。詳しい説明は省くが，もし，S_+ と S_- のどちらかが有限の値に収束したとする。各項を比較して $S_- < S_+$，また S_+ の第２項以降の和の各項と S_- の各

項を比較して$S_+ < 1 + S_-$が言えることに注意しよう。これより，S_+とS_-が共に有限の値に収束することになってしまい，$S = 1 + \frac{1}{2} + \frac{1}{3} + \frac{1}{4} + \cdots = S_+ + S_-$が収束して，例1の結果に矛盾する。

この級数$1 - \frac{1}{2} + \frac{1}{3} - \frac{1}{4} + \cdots$が，順番を変えることによってどんな実数にも収束させることができることを具体例で見てみよう。例えば$r = \sqrt{2} = 1.4142\cdots$に収束させてみよう（図3-12)。

まず，正の項を最初から順番に加えていって，$r = \sqrt{2}$以上になったらストップする。

$$1 = 1$$

$$1 + \frac{1}{3} = 1.3333\cdots$$

$$1 + \frac{1}{3} + \frac{1}{5} = 1.5333\cdots$$

ここでストップである。$r = \sqrt{2}$以上になったからである。次に，今度は負の項を最初から順番に加えていって，$r = \sqrt{2}$未満になったらストップする。

$$1 + \frac{1}{3} + \frac{1}{5} - \frac{1}{2} = 1.0333\cdots$$

あっという間に$r = \sqrt{2}$未満になってしまった。これでストップである。今度はまた，最初と同様に，残った正の項を順番に加えていって，$r = \sqrt{2}$以上にすることを目指す。

$$1 + \frac{1}{3} + \frac{1}{5} - \frac{1}{2} + \frac{1}{7} = 1.1761\cdots$$

$$1+\frac{1}{3}+\frac{1}{5}-\frac{1}{2}+\frac{1}{7}+\frac{1}{9}=1.2873\cdots$$

$$1+\frac{1}{3}+\frac{1}{5}-\frac{1}{2}+\frac{1}{7}+\frac{1}{9}+\frac{1}{11}=1.3782\cdots$$

$$1+\frac{1}{3}+\frac{1}{5}-\frac{1}{2}+\frac{1}{7}+\frac{1}{9}+\frac{1}{11}+\frac{1}{13}=1.4551\cdots$$

やっと$r=\sqrt{2}$以上になったのでここでストップである。このようにいくつか集めると必ず$r=\sqrt{2}$以上になるのは，正の項をすべて集めると$+\infty$となるからである。さらに今度は，残りの負の項を順番に加えていって$r=\sqrt{2}$未満とする。

$$1+\frac{1}{3}+\frac{1}{5}-\frac{1}{2}+\frac{1}{7}+\frac{1}{9}+\frac{1}{11}+\frac{1}{13}-\frac{1}{4}=1.2051\cdots$$

今回も１回で終わってしまったが，一般の実数rでは，負の

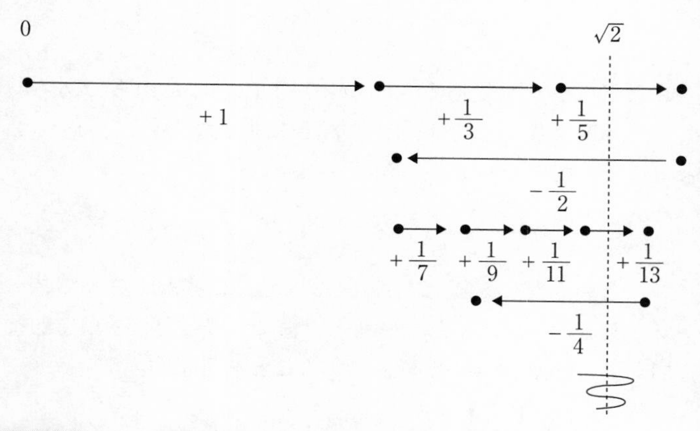

図 3-12　前後しながら近似していく

項を集めてくるとき何回もかかる場合もある。この操作をして必ず$r=\sqrt{2}$未満にできるのは，負の項をすべて集めると$-\infty$となるからである。

このような操作をどんどん続けていく。すると，正の項も負の項も順番が小さい順に用いているので，最終的にはあらゆる項を用いることになる。また，その部分和は$\sqrt{2}$の前後を振動するのだが，だんだん粒（項の絶対値）が細かくなっていくのでその部分和はだんだん$r=\sqrt{2}$に収束することになる。

どうしてこのように，順番を変えることによってあらゆる実数に近づけるか。ポイントは，正の粒も負の粒もどんどん粒が小さくなっていっていることと，それにもかかわらず正の粒を集めると$+\infty$に，負の粒を集めると$-\infty$になったことであった。

3.5 近似するとはどういうことか

3.5.1 テーラーの公式，作れます？

「テーラー展開を書いていただけますか」と言われると，たいていの学生は固まってしまい，その場で立ち尽くしてしまう。

必死になって思い出そうとするが，なかなか正確な形では出てこない。

「覚えていませんか。でも覚えなくても良いんですよ」

黒板でいくつかの数式を書き，「ほら，こうやれば自分で作れるでしょう」とやると，何だ，そうだったのか，知りませんでしたと言うことが多い。一般に数学の公式のうち，多くのものは，ある程度ポイントさえ押さえていれば自分で作ることができるのである。公式はなるべく忘れた方が良いのだ。公式を忘れてしまう。そして，その度に自分で公式を作ってみる。それが数学が得意になる秘訣の1つだ。それにもかかわらず，ほとんどの学生は，数学を暗記科目と考えている。数学が得意になるためには逆効果である。

ここでは，簡単のために，テーラー展開の特殊な場合であるマクローリン展開を考える。関数$f(x)$を，無限に続くxの多項式として表すものがマクローリン展開である。

もし$f(x)$の無限マクローリン展開が$f(x)=a_0+a_1x+a_2x^2+a_3x^3+\cdots$となったとする。両辺をどんどん微分していくと

$$f'(x)=1a_1+2a_2x+3a_3x^2+\cdots$$

$$f''(x)=2\cdot 1a_2+3\cdot 2a_3x+\cdots$$

$$f'''(x)=3\cdot 2\cdot 1a_3+\cdots$$

両辺に0を代入すると，$f(0)=a_0$, $f'(0)=1a_1$, $f''(0)=2\cdot 1a_2$, $f'''(0)=3\cdot 2\cdot 1a_3$, $\cdots$を得る。したがって，一般に$f^{(n)}(0)=n!a_n$，ゆえに$a_n=\dfrac{f^{(n)}(0)}{n!}$となる。もとの式に代入して，無限マクローリン展開

$$f(x)=f(0)+\frac{f'(0)}{1!}x+\frac{f''(0)}{2!}x^2+\frac{f'''(0)}{3!}x^3+\cdots+\frac{f^{(n)}(0)}{n!}x^n+\cdots$$

$$=\sum_{n=0}^{\infty}\frac{f^{(n)}(0)}{n!}x^n$$

を得る。

ただし，この公式はいつでも成立するわけではない。例えば$f(x)=\dfrac{1}{1-x}$とすると，その無限マクローリン展開$f(x)=1+x+x^2+x^3+\cdots$が成立するのは，$|x|<1$のときだけである。これは高校で習う無限等比級数の和の公式でもおなじみである。

それでは，いよいよテーラー展開を作ろう。まず，無限テーラー展開を思い出しておこう。マクローリン展開というのは$x=0$でのテーラー展開である。だから，無限マクローリン展開を$x=a$での無限テーラー展開にするには無限マクローリン展開の式を平行移動すれば良い。実際にやってみよう。

マクローリン展開は，

$$f(x)=f(0)+\frac{f'(0)}{1!}x+\frac{f''(0)}{2!}x^2+\frac{f'''(0)}{3!}x^3+\cdots+\frac{f^{(n)}(0)}{n!}x^n+\cdots$$

$$=\sum_{n=0}^{\infty}\frac{f^{(n)}(0)}{n!}x^n$$

だった。

近似の気分を出すために，xのかわりにΔxを代入しよう。

$$f(0+\Delta x)$$

$$=f(0)+\frac{f'(0)}{1!}\Delta x+\frac{f''(0)}{2!}(\Delta x)^2+\frac{f'''(0)}{3!}(\Delta x)^3+\cdots$$

$$+\frac{f^{(n)}(0)}{n!}(\Delta x)^n+\cdots$$

$$=\sum_{n=0}^{\infty}\frac{f^{(n)}(0)}{n!}(\Delta x)^n$$

そして，0にxを代入すれば良いのである。それが次の無限テーラー展開である。無限マクローリン展開（＝整級数展開）と同様，これは常に成立するわけではない。

無限テーラー展開

$$f(x+\Delta x)=f(x)+\frac{f'(x)}{1!}\Delta x+\frac{f''(x)}{2!}(\Delta x)^2+\frac{f'''(x)}{3!}(\Delta x)^3+\cdots$$

$$+\frac{f^{(n)}(x)}{n!}(\Delta x)^n+\cdots$$

$$=\sum_{n=x}^{\infty}\frac{f^{(n)}(x)}{n!}(\Delta x)^n$$

次に，有限テーラー展開を思い出してみよう。

有限テーラー展開

$$f(x+\Delta x)=f(x)+\frac{f'(x)}{1!}\Delta x+\frac{f''(x)}{2!}(\Delta x)^2+\cdots$$

$$+\frac{f^{(n-1)}(x)}{(n-1)!}(\Delta x)^{n-1}+R_n$$

ただし，剰余項R_nは，

$$R_n=\frac{f^{(n)}(x+\theta\Delta x)}{n!}(\Delta x)^n \quad (0<\theta<1)$$

と表される。

というものであった。

有限テーラー展開の$n=1$のときの式は，高校の教科書にある平均値の定理とよばれる次のものである。

平均値の定理

$f(x+\Delta x)$ は, $f(x+\Delta x)=f(x)+f'(x+\theta\Delta x)\Delta x \quad (0<\theta<1)$

と表される。

3.5.2 有限テーラー展開は近似式か，等式か

友人は時々授業で，次のように聞くそうだ。

「有限テーラー展開（例えば，平均値の定理）でのイコールは本当のイコールか，それとも近似の意味でのイコールか」

$$f(x+\Delta x) = f(x) + f'(x+\theta\Delta x)\Delta x$$

それとも ??

$$f(x+\Delta x) \fallingdotseq f(x) + f'(x+\theta\Delta x)\Delta x$$

図 3-13　本当のイコール？　それとも

するとほとんどの学生が，あれは本当に成り立つ式ではなく，だいたい成り立つ式で，Δxが十分小さいときだけ成立すると答えるそうだ。近似の理論というと，どうも「だいたいで考えるいいかげんな理論」という印象が強いらしい。

高校で習った，平均値の定理の直観的証明は図3－14の通りであった。

平均値の定理でのイコールは本当のイコールである。どんなに大きなΔxに対しても成立するのである。

そもそも，大きな数とか小さな数というのは相対的なもので，この数は絶対に大きいとか絶対に小さいという判断基準はないのである。例えば1という数字が大きいかと言われてもわからない。それは，銀河系宇宙の大きさの10分の1の，1光年（＝光が1年に進む距離＝9.4607×10^{15}m）かもしれない。光は1秒間に30万km進み，地球を7回り半することを思い出しておこう。また，それは，原子や分子のレベルの1ナノメートル（1nm＝10^{-9}m）かもしれない。1は大きいとも言えるし小

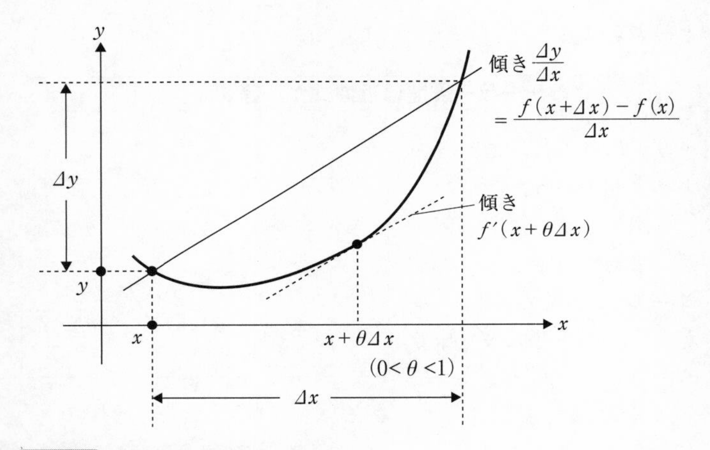

図 3-14　**平均値の証明のアイデア**

さいとも言えるのである。

テーラー展開を正しく理解するとは，どの程度のΔxで，どの程度の項数nだったらどの程度の誤差が出てくるかというしっかりした考え方が必要なのである。

例えば平均値の定理で，Δxがある範囲のときに，$|f'(x+\Delta x)|$がある値Mで押さえられているとすると，その範囲で

$$|f(x+\Delta x)-f(x)|=|f'(x+\theta\Delta x)\Delta x|\leqq M|\Delta x|$$

などということが言えるのである。

絶対に正しい等式をもとに相対的な誤差を議論するのである。そして$\lim_{n\to\infty} R_n=0$になることを確かめてはじめて，有限テーラー展開の極限である無限テーラー展開が本当に正しい式になるかどうかが厳密に議論できるのである。

3．6　0÷0は？　∞÷∞は？

3.6.1 ゼロの発見

本書は無限についての本であるが，無限の対極にあると思われる**ゼロ**についても少し触れておこう。ゼロと無限は，ある意味で双子のきょうだいであり，共に奥が深い。私たちは，子どもの頃にゼロを習い，ゼロがあるのが当たり前の生活をしているが，西洋でゼロが使われ始めたのは比較的最近である。あれほど数学が発達していたギリシャにですら，ゼロという考え方はなかった。西洋世界はずっとゼロを数だとは認識してこなかったのである。

今日私たちが使っているゼロの考え方は，インドで発見されアラビアに伝えられ，そしてその後西洋に伝えられたのである。

ゼロが数として生まれたのは最初，**位取り記数法**がきっかけだった。何もないことを「0個存在する」と考える考え方はずっと後である。現在，私たちが用いている10進法による位取り記数法は，すばらしい。0から9までの数字をどんどん並べていけばどんな大きな数字でも作れる。ところがギリシャやローマの記数法では，1けたあがるたびに新しいけたの数を表すのに文字が必要だった（図3－15）。

したがって大きな数を表すにはたくさんの種類の文字をたくさん並べる必要があった。

また，現代の記数法では，2つの数の大小が一瞬にして比較できる。2つの数がどんなに大きくても，位取りが一致するように並べれば良いのである。しかし，ギリシャの記数法では手

現代	1	2	3	4	10	20	30	100	200	123
エジプト	I	II	III	IIII	∩	∩∩	∩∩∩	𓍢	𓍢𓍢	𓍢∩∩III
ギリシャ（旧式）	Ι	ΙΙ	ΙΙΙ	ΙΙΙΙ	Δ	ΔΔ	ΔΔΔ	Η	ΗΗ	ΗΔΔΙΙΙ
ギリシャ（新式）	α	β	γ	δ	ι	κ	λ	ρ	σ	ρκγ
ローマ	I	II	III	IV	X	XX	XXX	C	CC	CXXIII
ヘブライ	א	ב	ג	ד	י	כ	ל	ק	ר	קכג

図 3-15　いろいろな記数法

間がかかったに違いない。さらに，ギリシャの記数法では現在のような筆算による掛け算ができなかった。

今となっては何でもないことかもしれないが，10進法で，何もない位のところにゼロという数字を書いたことは人類にとって飛躍的な進歩だったのだ。インドで5～6世紀頃，現在の私たちの数の書き方とほとんど同様な10進法による位取り記数法が生まれた。

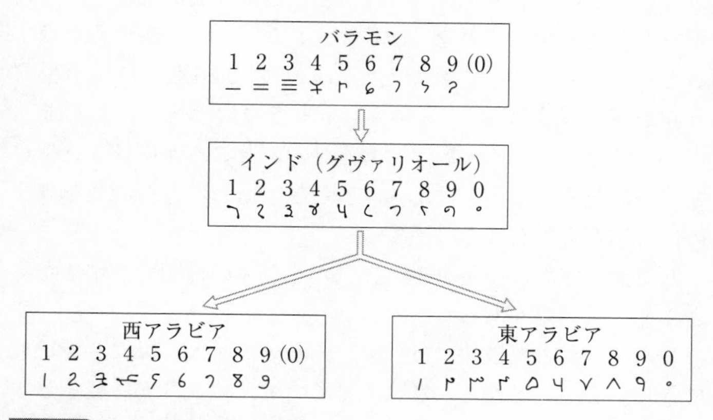

図 3-16　インド式記数法の歴史

8世紀頃その方法がバグダッドに伝わり，9世紀になってその方法を**アル・フワーリズミー**が著書『インド式算術による加法と減法』（アラビア語のタイトルは，アル・ジャブル・ヴァ・ル・ムカーバラで，正確な意味は「移項と同類項の整理」）で，初めてアラビア語で紹介した。彼の名前のラテン語表記が，インド式記数法・算術を表す言葉となり，さらに今日の**アルゴリズム**という言葉の語源となった。さらに，著書のタイトルは今日の**アルジェブラ**（代数）の語源となった。

ゼロはその後，十字軍の遠征の時代，12～13世紀にヨーロッパに伝わった。ヨーロッパではその最初の発見者がインド人であることを知らず，その数字を「アラビア数字」と言った。

ヨーロッパに伝えられたのはインドの記数法だったが，ゼロはほかのところでも発見された。バビロニアでは，60進法による位取り記数法が，マヤでは，20進法による位取り記数法が行われていた。

バビロニアではBC300年頃，斜めのくさびをのように2つ並べて，その位には数字がないという意味で用いた。図3-17に1と10と61を表す数字を書いておいた。右の3つの数字は私たちの10進法に直すとどうなるだろうか。答えを見る前にちょっと考えていただきたい。

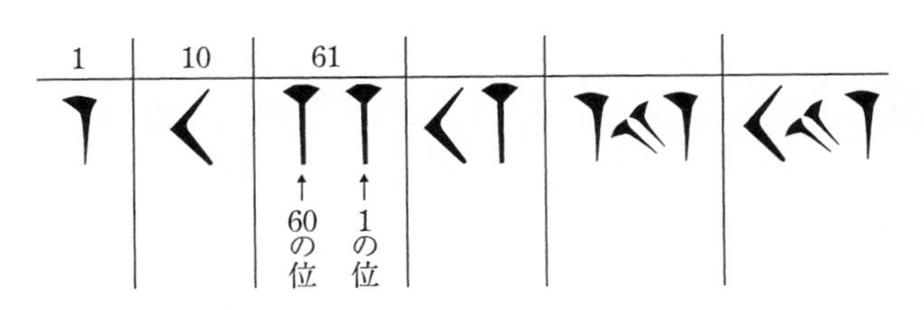

図3-17　バビロニアの記数法

そう，左から４番目は60の位に10があり，１の位に１があるので，$60 \cdot 10 + 1 \cdot 1 = 601$，５番目は，$60^2 = 3600$の位に１があり，60の位にゼロ，１の位に１なので，$60^2 \cdot 1 + 60 \cdot 0 + 1 \cdot 1 = 3601$，最後は36001を表す。

マヤ文明が海外と接触なく栄えたのはBC300年からAD900年までのことだった。時を記述するために大きな数字を用いた。彼らによると，宇宙の開闢（かいびゃく）は，西暦に直すとBC3114年の8月11日である。

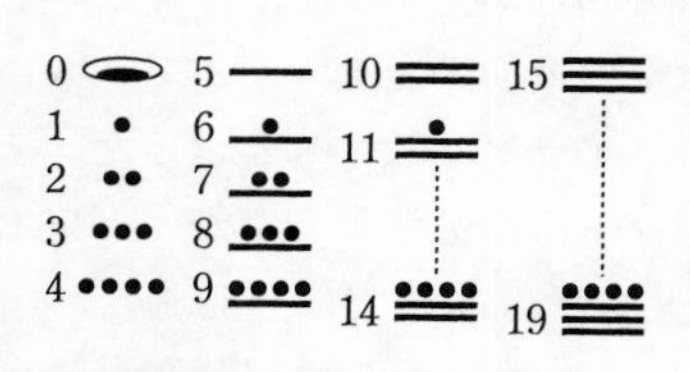

図 3-18　**マヤの記数法**

図3－18にマヤの数字で0から19までを書いておいた。ちょっと楽しんでみよう。それでは，20，30，340をマヤの方法で書いてみたらどうなるか。試してみていただきたい。マヤの方法では，数字を縦に並べていくことに注意しよう。

答えは図3－19の通りである。もっと大きな数字の，難しい問題を出してもらって良かったのにと思った方もいるだろう。そうしなかったのは，普通の20進法だと，20の位の次は$20^2 = 400$の位のはずなのだが，マヤの方法だと次は$20 \cdot 18 = 360$の位になってしまうからである。

マヤの数字の書き方には，今まで見てきたように簡単なものもあるのだが，もう１つ，図3－20のような人の顔の表情をかたどった楽しい数字もある。ゼロという顔がなぜゼロなのか想像していただきたい。

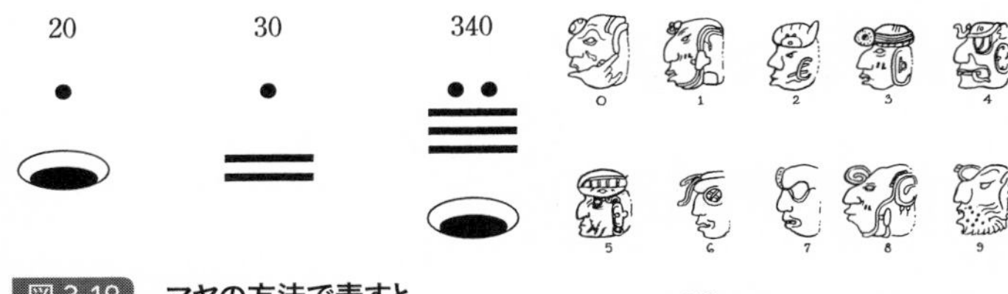

図 3-19　マヤの方法で表すと

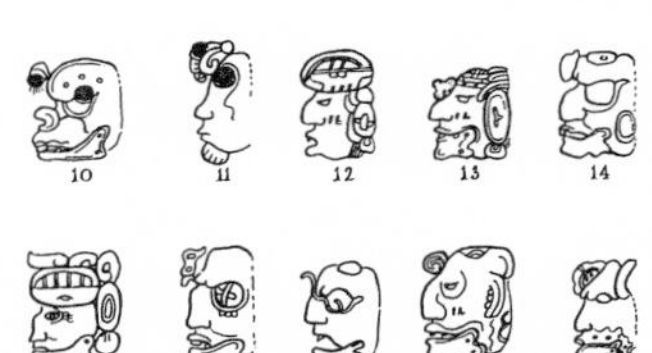

図 3-20　顔数字 "Figure 3 : Mayan numbers" by Matt Zimet, from ZERO : The Biography of a Dangerous Idea by Charles Seife, copyright(c)2000 by Charles Seife.

3.6.2 数の 0÷0 は？

——$0 \div 2$はいくつですか。

「0です」

その通り。どうしてだろうか。割り算を理解するには，掛け算に戻って考えよう。

$a \div b = q$ということは，掛け算に直すと，$a = b \times q$ということだった。この場合もし，$0 \div 2 = q$だとすると，$0 = 2 \times q$，したがって$q = 0$となる。

それでは,

——$2 \div 0$はいくつですか。

「わかりません」

「あっ,そうだ。どんな数もゼロでは割れないのです。昔習った気がします」

その通り。今度も理由を考えてみよう。もし,$2 \div 0 = q$だとすると,掛け算に直すと,$2 = 0 \times q$,したがって$2 = 0$となり,矛盾が生じる。したがって$2 \div 0$は,定義してはいけないのだ。

それでは,

——$0 \div 0$はいくつですか。

どんな数もゼロで割れないから,今言ったのと同じ理由で定義してはいけないと思われるかもしれない。チェックもしてみよう。もし,$0 \div 0 = q$だとすると,掛け算に直すと,$0 = 0 \times q$,したがって$0 = 0$となり,これでは何の矛盾も生じない。この観点からでは,$0 \div 0$は,どんな数qでも良いのである。

しかし,もう一息考えると$0 \div 0$が存在するとまずいことがわかる。もし,$0 \div 0 = q$すなわち

$$(1) \quad \frac{0}{0} = q$$

だとする。(1) の左辺は$\dfrac{0 \times 0}{0} = 0 \times \dfrac{0}{0}$に等しいので0(ここでは0に何を掛けても0であることを仮定している)。したがって (1) の右辺のqも0となる。

ここまでで,もし,$q = 0 \div 0$が存在したとすると$q = 0$に違いないというところまで追いつめた。さあ,もし$q = 0$だったらどんなことが起こるだろうか。

すると,

$$2 \div 0$$

$$\left(\frac{0}{0} = 0 \text{という仮定より}\right)$$

$$= 2 \div \frac{0}{0}$$

$$\left(\text{一般に，} n \div \frac{a}{b} = n \times \frac{b}{a} \text{より}\right)$$

$$= 2 \times \frac{0}{0}$$

$$\left(\frac{0}{0} = 0 \text{という仮定より}\right)$$

$$= 2 \times 0$$

$$= 0$$

となり，さっきできなかった$2 \div 0$ができてしまう。やはり，$0 \div 0$は定義できないと考えるしかないのである。

3.6.3 極限としての0÷0，∞÷∞は？

これまで，数字の割り算の$0 \div 0$について調べてきた。ここでは極限としての$0 \div 0$を調べてみよう。その前に$\infty \div \infty$を調べてみよう。

$\lim_{n \to \infty} a_n = \infty$，$\lim_{n \to \infty} b_n = \infty$のとき，$\lim_{n \to \infty} \frac{b_n}{a_n}$はどうなるかと問いかけると，決まって何人かに1人からは，それは1であるという答えが返ってくる。∞というのを同じ∞で割っているので当然そうなるという，ある意味では自然な解答である。

具体的な極限の問題を出すと，例えば$\lim_{n \to \infty} \frac{n}{n^2}$のようなときには答えを$\frac{\infty}{\infty} = 1$などというようには決してしないのだが，さきほどのように問いかけられると思わず間違った答えを出してしまう。$\lim_{n \to \infty} \frac{n}{n^2}$の答えはもちろん，$\lim_{n \to \infty} \frac{n}{n^2} = \lim_{n \to \infty} \frac{1}{n} = 0$

である。

$\dfrac{\infty}{\infty}$ は，いろいろな極限を取り得る。0に収束させられることは今見たので，1や∞に収束させられるかどうか考える。それはそんなに難しくない。$\lim_{n\to\infty}\dfrac{n}{n}=\lim_{n\to\infty}1=1$だし，$\lim_{n\to\infty}\dfrac{n^2}{n}=\lim_{n\to\infty}n=\infty$だ。

その逆数を考えると，0÷0の形になる。

$$\lim_{n\to\infty}\frac{\frac{1}{n^2}}{\frac{1}{n}}=\lim_{n\to\infty}\frac{1}{n}=0$$

$$\lim_{n\to\infty}\frac{\frac{1}{n}}{\frac{1}{n}}=\lim_{n\to\infty}1=1$$

$$\lim_{n\to\infty}\frac{\frac{1}{n}}{\frac{1}{n^2}}=\lim_{n\to\infty}n=\infty$$

だ。

このように極限としての0÷0と∞÷∞は共に，分母分子が0に収束するスピードや，無限大に発散するスピードの違いを調節することによって，さまざまな値に収束したり，発散したりするようにできる。

数字の割り算としての0÷0が決して存在しなかったのに反し，極限としての0÷0はあらゆる値を取り得るのである。

3.7 超準解析——超実数とちゃう実数

昔，微分を最初に習った時に，$\dfrac{dy}{dx}$という記号に違和感をもった方も多いに違いない。関数$f(x)$を微分するのに，$f'(x)$という簡単な記号があるのに，なぜ複雑な記号$\dfrac{dy}{dx}$をわざわざ使

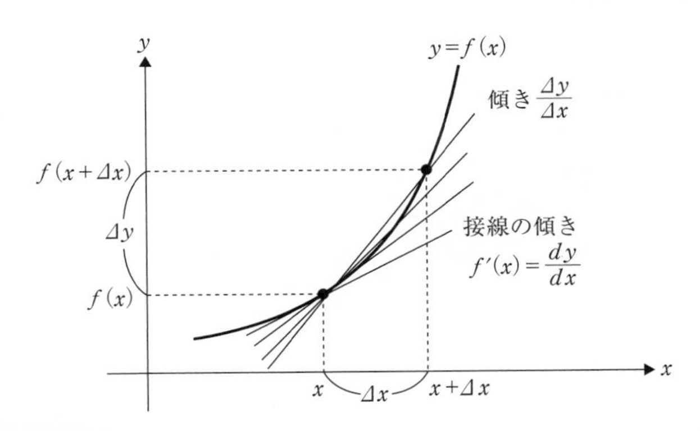

図 3-21　**微分の定義**

うのだろうと思った。

微分とは，定義によると，接線の傾きを求めることであった。

xがΔx増加したときの，yの増加分$\Delta y = f(x + \Delta x) - f(x)$ を考えると，その比$\frac{\Delta y}{\Delta x}$は図3－21の直線の傾きとなる。そこで，$\Delta x$を0に近づけるとその傾きは接線の傾きと一致する。

$f'(x) = \lim_{\Delta x \to 0} \frac{\Delta y}{\Delta x}$なので，$\Delta x$が小さいときには，$f'(x) \fallingdotseq \frac{\Delta y}{\Delta x}$（すなわち，$f'(x)$ は，約$\frac{\Delta y}{\Delta x}$）である。等式$f'(x) = \frac{dy}{dx}$は，この事実の略記であると教わった。さらに，「しかし，これは分数ではないので注意してください。その証拠にこれは『ディーエックスぶん（＝分）のディーワイ』とは決して読みません。上から『ディーワイ・ディーエックス』と読んでください」という注意を受けた。そしてその後，積分を教わる。そこでは新たにまたややっこしい積分記号$\int_a^b f(x)\,dx$を教わる。ここに出てくるdxとは一体何なのだろうか。$\frac{dy}{dx}$の中の一部だったのが独立してしまっているではないか。以前受けた注意に対する疑念が湧いてくる。

さらに微分方程式に至っては，dxとdyを全く別物として自由に動かす。例えば$y' = -\frac{x}{y}$を解くのに，

$\frac{dy}{dx} = -\frac{x}{y}$と，まず$y'$を$\frac{dy}{dx}$に置き換え，次に左辺に$y$に関係する項，右辺に$x$に関係する項を集める。すなわち，

$$ydy = -xdx$$

確か，このように左辺にyに関する項を，右辺にxに関する項を集められる微分方程式を変数分離形の微分方程式とよぶのだった。そしてなぜか急に両辺に積分マークをつける。

$$\int y\,dy = \int(-x)\,dx$$

積分すると，

$$\frac{y^2}{2} = -\frac{x^2}{2} + C$$

したがって，

$$x^2 + y^2 = 2C$$

これは$C > 0$のとき円の方程式となる。

ここに至っては，dx，dyはまるで別々の生き物のように扱っているではないか。裏切られたような気がした。最初の$\frac{dy}{dx}$は，決して分数ではないというあの注意は一体何だったのか。

*dx*とか*dy*は別々に存在し得るのか？　一心同体ではなかったのか。

現在私たちが用いている微分積分の記号法は，**ライプニッツ**（1646 - 1716）による。ライプニッツは，**ニュートン**（1643 - 1727）と共に微分積分法の創始者である。ライプニッツの無限小*dx*，*dy*というのは，あるときには微小量を表し，あるときには単なる記号として扱うと非常にうまくいくのだが，ひょっとしてインチキな面があり，どこかで破綻するのではないかという疑問がつきまとっていた。

ライプニッツ流の微分積分学に合理的な根拠を与えたのが**ロビンソン**（1918 - 1974）の仕事である。彼は**超準解析（ノンスタンダード解析）**という理論を生み出した。

理論が無矛盾だということを言うために，その理論と同じ機能をもっているモデル（＝模型，おもちゃ）を作れば良い。もし，その理論から矛盾が導かれるのなら，そのモデルでも矛盾が導かれるはずで，そのようなモデルがあってはいけないからである。

超準解析では，実数の数列 $(a_1, a_2, a_3, \cdots)$ 全体の集合を$^*R$と表し，$^*R$の要素を超実数と言う。$^*R$の中には，普通の超実数とよばれる，通常の実数に対応するものがある。そして$^*R$の中にその他に，無限大超実数，無限小超実数などがあると考える。超実数の間には，超フィルターというものを用いて順序関係≦を入れる。これはちょっとわかりにくいので，頭の体操として，ここでは**ちゃう実数**というものを考えることにする。超実数もちゃう実数も集合としては同じである。したがってちゃう実数の集合を$^{\star}R$とすると，$^{\star}R = {}^*R$（集合として）である。すなわち，ちゃう実数とは超実数同様，実数の数列 $(a_1,$

a_2, a_3, …) である。

自然数の部分集合からなる集合$\mathscr{F}$は，次の性質 (1)，(2)，(3) をみたすとき**自由フィルター**という。

(1) $\mathscr{F}$は，空集合を含まない。どんな自然数$\boldsymbol{n}$を取っても，$\mathscr{F}$の要素で$\boldsymbol{n}$を含まないものがある。

(2) $\mathscr{F}$のどんな2つの要素$\boldsymbol{F_1}$，$\boldsymbol{F_2}$を取っても$\boldsymbol{F_1 \cap F_2}$は$\mathscr{F}$の要素である。

(3) $\boldsymbol{F}$が$\mathscr{F}$の要素で，自然数の部分集合$\boldsymbol{E}$が$\boldsymbol{F}$を含むならば$\boldsymbol{E}$も$\mathscr{F}$の要素である。

自由フィルター$\mathscr{F}$は，どんな自然数のどんな部分集合AをとってきてもAまたはAの補集合が$\mathscr{F}$に属するとき，**自由超フィルター**とよばれる。選択公理という集合論の公理（6.4節参照）を用いると自由超フィルターの存在を示すことができる。超実数は自由超フィルターを用いて定義される。超実数は難しいので，ここではフレシェ・フィルターとよばれるフィルター$\mathscr{E}$を用いてちゃう実数を定義し，感じをつかみとろう。

自然数の部分集合$\boldsymbol{F}$で，$N-\boldsymbol{F}$が有限集合，すなわち有限の個数の集合，となるもの全体を$\mathscr{E}$と表すことにする。このとき$\mathscr{E}$は，**フレシェ・フィルター**とよばれ，自由フィルターの条件をみたす。

例えば，$N = \{1, 2, 3, \cdots\}$自身もフレシェ・フィルタ

自然数の部分集合
$F = \{1, 3, 6, 7, 8, 9, \cdots\}$
がフレシェ・フィルターの要素
⟺ N−Fが有限個

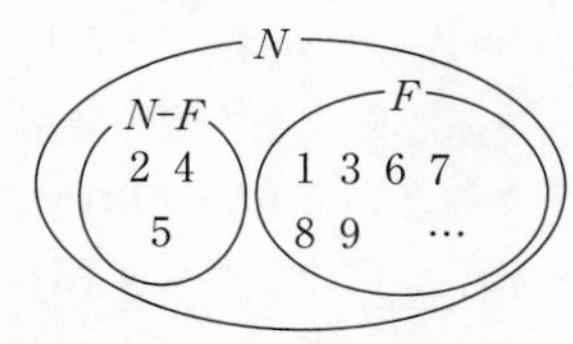

⟺ ある番号（この場合は6）以上の自然数がすべてFに含まれる

図 3-22　**フレシェ・フィルターの要素**

ー$\mathscr{E}$の要素である。なぜならば，その補集合$N-N=\emptyset$は空集合，したがって要素の個数が0個の集合なので有限集合である。また，$F=\{1, 3, 6, 7, 8, 9, \cdots\}$もフレシェ・フィルター$\mathscr{E}$の要素である。なぜならば，その補集合$N-F=\{2, 4, 5\}$は，3個の要素からなる集合であり，有限集合だからである。フレシェ・フィルター$\mathscr{E}$の要素は，ある番号から先の自然数をすべて含んでいる集合ということもできる。

ちゃう実数とは実数の数列$\boldsymbol{a}=(a_1, a_2, a_3, \cdots)$だった。2つのちゃう実数は，一見違うように見えても同じちゃう実数を表すことがある。ちゃう実数$\boldsymbol{a}=(a_1, a_2, a_3, \cdots)$と$\boldsymbol{b}=(b_1, b_2, b_3, \cdots)$に対して，$a_n=b_n$をみたす自然数$\boldsymbol{n}$全体の集合がフレシェ・フィルター$\mathscr{E}$の要素であるとき，すなわち有限個の$\boldsymbol{n}$を除いて（言いかえると，ある番号から先の$\boldsymbol{n}$に対して）$a_n=b_n$が成立するとき，$\boldsymbol{a}$と$\boldsymbol{b}$は全く同じちゃう実数を表すと考えてしまう。ちゃう実数はグラフに表すことができるが，図3-23（1）の2つのちゃう実数は同じとみなしてしまうのである。また同様に順序$\boldsymbol{a} \leqq \boldsymbol{b}$が成り立つとは，$a_n \leqq b_n$をみたす自

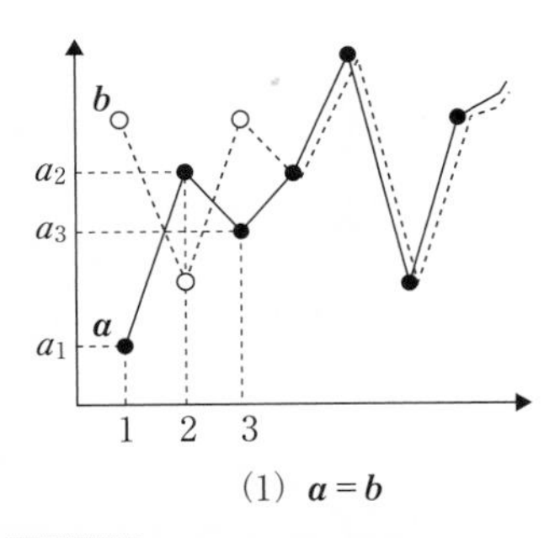

（1）$\boldsymbol{a}=\boldsymbol{b}$

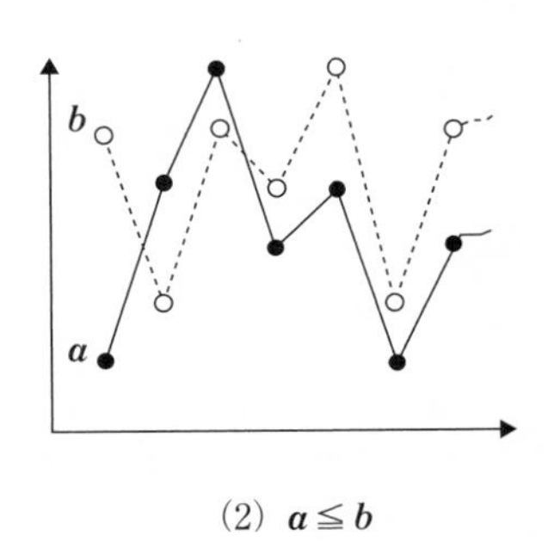

（2）$\boldsymbol{a} \leqq \boldsymbol{b}$

図3-23　ちゃう実数の世界

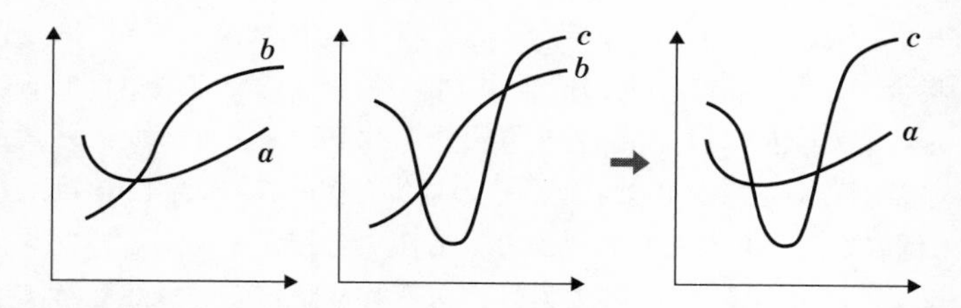

図 3-24　不等号の推移律

然数n全体の集合がフレシェ・フィルターの要素であるとき，すなわち有限個のnを除いて（言いかえると，ある番号から先のnに対して）$a_n \leqq b_n$が成立することと定義してしまうのである。すると，図3－23（2）では，$\boldsymbol{a} \leqq \boldsymbol{b}$が成立している。

図3－24より，不等号の推移律すなわち，$\boldsymbol{a} \leqq \boldsymbol{b}$かつ$\boldsymbol{b} \leqq \boldsymbol{c}$ならば，$\boldsymbol{a} \leqq \boldsymbol{c}$が成り立っていることに注意しておこう。

さて，このちゃう実数の世界で，私たちのもとの実数と対応するものを考えることができる。例えば私たちのもとの実数rに対応するちゃう実数は，つねに値rを取り続ける数列$\boldsymbol{r} = (r, r, r, \cdots)$と定義する。すなわちどんな$n$に対しても$a_n = r$をみたす数列と定義する。したがって，例えば実数3に対応するちゃう実数は図3－25（1）の$\boldsymbol{3} = (3, 3, 3, \cdots)$である。今，私た

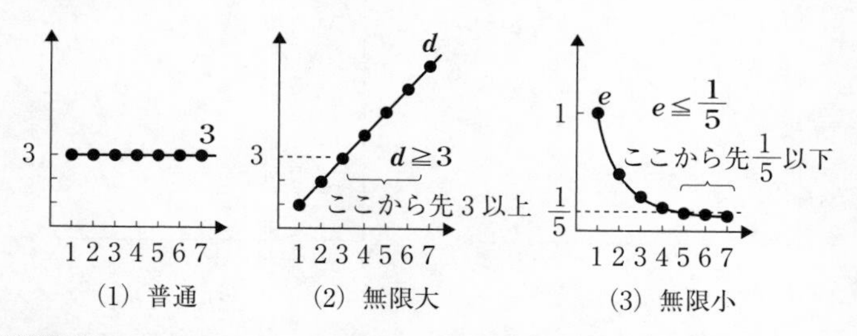

図 3-25　普通のちゃう実数，無限大ちゃう実数，無限小ちゃう実数

ちは実数rに対する$\boldsymbol{r}=(r, r, r, \cdots)$，例えば$\mathbf{1}=(1, 1, 1, \cdots)$，$\mathbf{3}=(3, 3, 3, \cdots)$，$\mathbf{0.23}=(0.23, 0.23, 0.23, \cdots)$，$\mathbf{1.41421356\cdots}=(1.41421356\cdots, 1.41421356\cdots, 1.41421356\cdots, \cdots)$，…を**普通のちゃう実数**とよんでしまおう。そこで，新たな数列$\boldsymbol{d}$を，(1, 2, 3, …) で定義する。すると，図3－25 (2) より，$\boldsymbol{d}$は，どの普通のちゃう実数に対してもそれ以上に大きいことがわかるだろう。これが無限大ちゃう実数とよばれるちゃう実数である。同様に無限小ちゃう実数$\boldsymbol{e}$を，$\left(1, \frac{1}{2}, \frac{1}{3}, \cdots\right)$で定義する。すると，図3－25 (3) より，$\boldsymbol{e}$は，どんな正の普通のちゃう実数に対してもそれ以下の実数になっていることがわかるだろう。

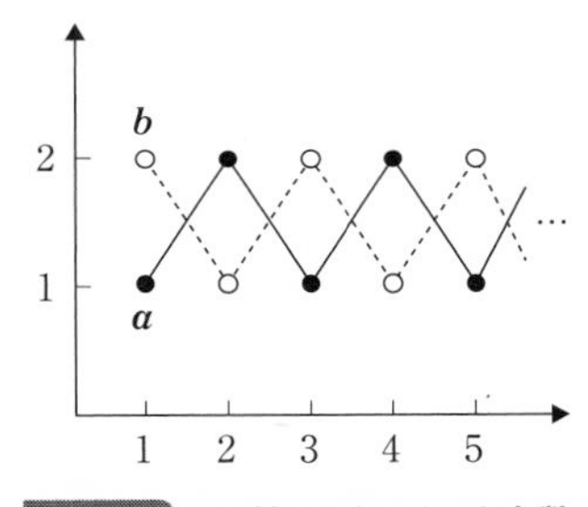

図 3-26　比較できないちゃう実数

ちゃう実数で超実数のアイデアをつかんでいただいたと思う。普通のちゃう実数どうしはどの2つも比較できる。しかしちゃう実数の中には，例えば図3－26の2つのちゃう実数$\boldsymbol{a}$，$\boldsymbol{b}$のように比較できないものもある。図3－26では無限個のn（奇数）に対して$a_n < b_n$だし，無限個のn（偶数）に対して$a_n > b_n$だからである。

そこでそういう難点を除き，新しい実数に対してももとの実数と同じような性質が成り立つようにしたのが超実数の考え方である。それには，フレシェ・フィルターのかわりに自由超フィルターを用いればよい。

このようにすると，超実数も普通の実数と同じような理論の枠組みで取り扱えることがわかる。さらにその考えを用いて記

号 dx，dy が，ある種の無限小超実数としてとらえられ，合理化される。これがロビンソンの超準解析（ノンスタンダード解析）である。

4．1　無限遠とは何か？

あなたは直線を見たことがあるか。中学校の教科書では，直線とは，「両方に限りなく伸びているまっすぐな線」であると習った。そうだ，そこにはきっと直線が描かれていたはずだと思い書店に行き，懐かしい中学校の教科書をぱらぱらとめくってみた。直線の定義の文章はその通りだった。ところが，図はといえば，そこに描かれているのは単なる線分だ（図4－1)。

がっかりした。私たちはだまされていたのだ。私たちはだれも直線を見たことがない。限りなく伸びている。無限への憧れをかき立てるような定義をしておいて実際に描いてあったのはただの棒切れだ。

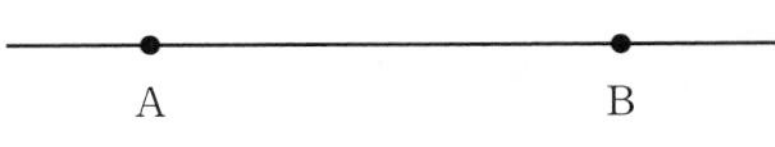

図4-1　直線AB

それでは平面は教科書にどうのっているのだろうか。例えば，「平面は，限りなく広がっている平らな面と考える」となっている。これも想像力をかき立てるような文章だが，実際に載っている図はただの平行四辺形である。

もっとも小説などと同様，読者のより大きな想像力を膨らませるには精密な挿絵よりも，想像のヒントを示す簡単なスケッチ程度のものが良いに違いないが……。

点，直線，平面などをどう定義するか。

これらを，座標を用いずに，幾何学的に表現しようとすると大変だ。ユークリッドは「点とは部分のないものである。線とは幅のない長さである。面とは長さと幅のみをもつものである」などと苦労した。ユークリッドの頃，直線や平面は，いくらでも伸ばせる可能性をもった有限のものと考えられていたらしい。実際，「線の端は点である」とか「面の端は線である」と言っている。

ところで，平面はなぜ平行四辺形として描かれるのだろうか。平行四辺形は四角いテーブルを思い起こさせる。丸いテーブルだってあるのだから，平面を円で表してはいけないのだろうか。

平面を円と考えるほうがある意味でセンスが良い。「あらゆる方向に伸びている」ということはあらゆる方向に対して平等なので，どちらかというと円というイメージに近い。平面をふちのある正方形として，そして斜めから見るので平行四辺形として描くのはその意味では不自然である。１つの方向だけ角張っているのは，平面があらゆる方向に対して平等であることに反する。もっとも平面が無限に広がっていることを強調するには，花火のように四方八方に飛び散っている方がふさわしいかもしれないが……。

ところで無限に伸びているその先はどうなっているのだろうか。私たちは無限を見ることができるのだろうか。

4．2 無限遠点への憧れ

無限遠の届かない点，あなたは存在するのだろうか。青春時代，私たちはまだ見ぬ永遠に憧れ，その実在を信じた。それは異性や美への憧れの延長だったかもしれないし，神や普遍なるものへの憧れだったかもしれない。私もアルチュール・ランボーの「永遠」という詩が大好きだった。

永遠（ランボー，金子光晴訳）

　とうとう見つかったよ。
なにがさ？　永遠というもの。
没陽（いりひ）といっしょに、
去（い）ってしまった海のことだ。

・
・
・

果たして私たちは永遠なるもの，無限なるものを見ることができるのだろうか。無限は憧れであって，感じることはできるが永遠に届かないとの考えは，夢があって楽しい。しかし，幾何学では，**無限遠点**をいろいろなモデルで合理化し，それが実在すると考えることによって大きな発展を遂げた。

かつて想像上の数，虚数（imaginary number）は最初，そんなことを考えるのはばかげていると世間から非難をあびた。

しかしその後，それが実際にあると考えることによって数学や物理は大きく発展した。幾何学における無限遠点も同様である。

それでは，無限遠点がもし存在するとしたらそれはどこに存在するのだろうか。まず，私たちが「見る」ということを反省してみよう。

4．3　数直線の無限遠点——数直線と閉区間と円周，どれが偉い？

4.3.1　2つの無限遠点——直線の無限遠点2個モデル

無限遠点がどこにあると考えたら良いかを調べるために，図4-2のように水平に置いてある数直線上の原点より少し下から，数直線を眺めてみよう。見るという行為は，どういうことか。直線上の点を見るということは，視線上にその点があることだ。点と視線が対応している。

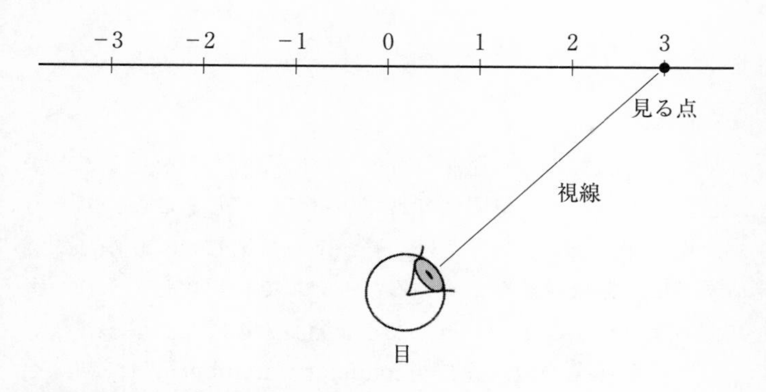

図4-2　点と視線の対応

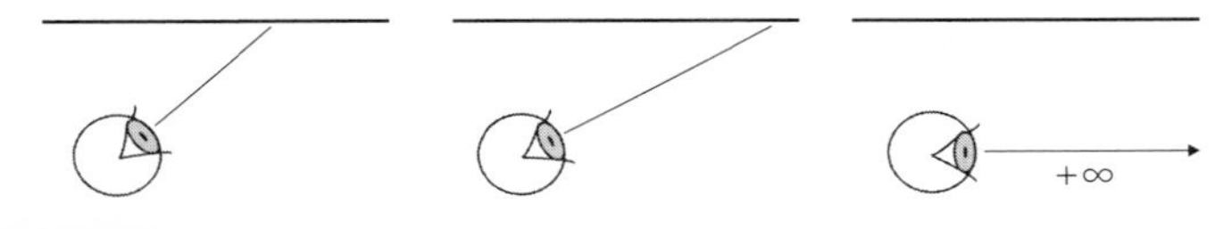

図 4-3　**+∞を見る目**

さて，図4－3のように目を正の実数の方へ向けて，視線をだんだん大きな実数の方へずらして行こう。どんどん遠くへ目をやると最後に見えるか見えないかのぎりぎりのところにくる。そのとき，目はどうなっているだろうか。視線がちょうど数直線と平行になっている。

このように，視線という考え方を使うと，その視線を表す目盛を考えることができる。目の回りに図4－4のような半円を描き，目盛をふればよい。両端が＋∞と－∞である。体重計のような目盛だ。図4－4は3に目盛を合わせたときと－∞に合わせたときを表している。

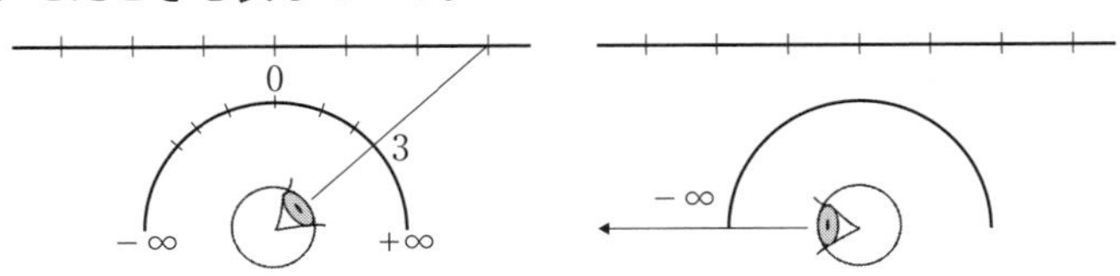

図 4-4　**±∞つき数直線目盛**

もう少し数学的にまとめると，

直線の無限遠点２個モデル

図4－5の半円周（両端点を含む）の中心から直線に射影する。このとき半円周の両端以外の点は数直線上の点と１対１に対応し，両端の点は２つの無限遠点＋∞と－∞に対応する。

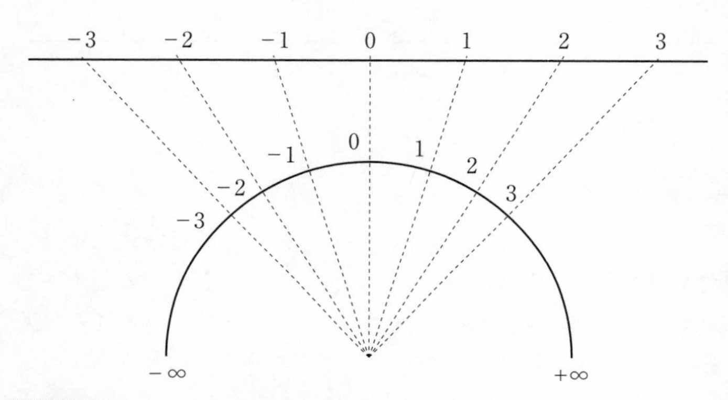

図 4-5　±∞つき数直線を半円周で表す

4.3.2 1つの無限遠点 ―― 直線の無限遠点1個モデル

これまで見てきた無限遠点２個モデルでは，＋∞と−∞という２つの無限遠点を考えた。これは例えば極限を考えるとき，ある量が＋∞に発散するとか，あるいは−∞に発散するとかいう場合には，どうしても重要である。無限大の資産がある場合と，無限大の借金がある場合では大違いである。

ところが，幾何的に物事を考える場合に事情が違ってくることがある。例えば，平面内の直線の傾きについて議論してみよう。微分積分で接線の傾きを考える場合は，図4−6のようにプラスの傾きとマイナスの傾きでは異なる状態を示している。プラスの場合は関数は増加しているし，マイナスの場合は関数が減少している。

ところで，次の図4−7の（1），（2）の直線の傾きは，図形的に同じだろうか。

読者の方にはひょっとしてわからないかもしれない。ともに

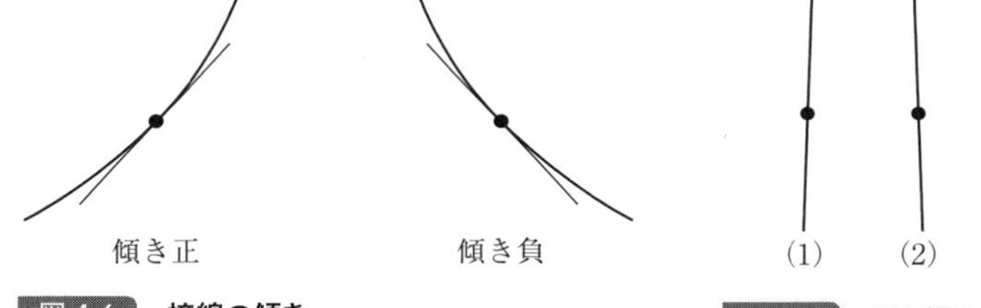

図 4-6　**接線の傾き**

図 4-7　**同じ傾き?**

ほとんど垂直だがわずかに垂直方向からずれていて，(1) は傾きが正で，(2) は傾きが負である。しかし，図形的に考えたとき，2つの直線はほとんど垂直な直線と同じように思われるので，傾き＋∞と傾き－∞とは同じ傾き，∞とよばれる絶壁の傾きと考えても良さそうである。

つまり，無限遠点2個モデルの半円周の両端の＋∞と－∞を同じものと考えるわけである。次の2通りのとらえ方がある。

1つの方法は，視線の考え方を見なおす方法である。右に向いた，数直線に平行な視線と，左に向いた，数直線に平行な視線を同じ物とみなすことである。今まで視線をベクトル的に考えていて同じ直線の視線でも右に向かうものと左に向かうものは別物と考えていた。しかし，それを同じ物だとみなしたい。そのためには大胆にも，前と後ろの気配を同時に感じることができる仮想宇宙人（**前後人**とよぼう）を考える。前後人の目にとっては，視線上の点は図4－8のPのように前にあっても，Qのように後ろにあっても同じ点としてうつる。

だから例えば図4－9のように空間の中に前後人がいて，右に頭だけの幽霊が浮かんでいて，左に胴体だけの幽霊が逆さになって浮かんでいたとしよう。すると，前後人にはどう見えるか。考えていただきたい。

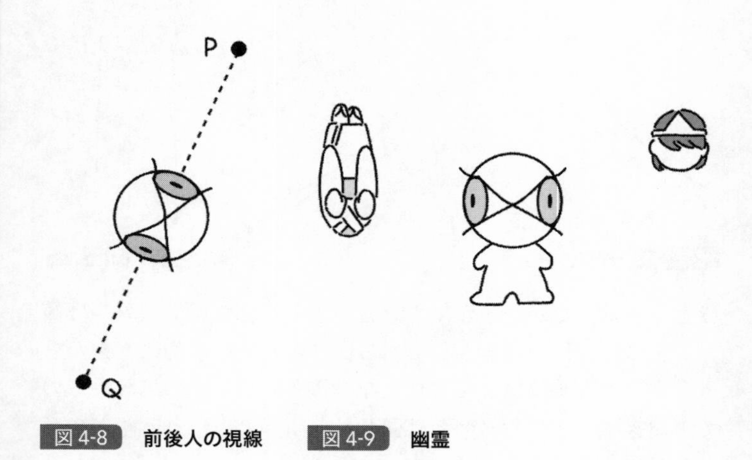

図 4-8　前後人の視線　図 4-9　幽霊

答えは次の通りである。前後人にとっては，自分の目に関して点対称な図形は同じようにうつるので，左で逆さに浮かんでいる胴体は右の逆さでない胴体と一致する。したがって前後人にとっては１人の（？）幽霊としてうつるのである。前後人の

図 4-10　前後人の目で見ると

目では図4－10のような感じである。参考のため，図では２つの幽霊を描いておいたが実際はこれらが１つに見えるはずである。

このように考えると＋∞を見る視線と，－∞を見る視線が同じ１つの視線となる。したがって前に出てきた±∞つき数直線目盛の半円周の両端点が同じ物とみなされるのである。円の中心にある前後人の目を360度ぐるっと回すと，数直線と平行な視線をとらない限り，必ず数直線が見える。

以上のことを数学的にまとめると次のようになる。前後人の目を原点と考えると前後人の視線とは，単に原点を通る直線である。原点にある前後人の目が，xy平面上の直線$y=1$を見ていると考える。

直線の無限遠点１個モデル１（前後人の見方）

xy平面上で考える。原点を通る直線全体を考え，それに対応するのが無限遠点つき数直線と考える。直線$y=1$に平行な視線，すなわち，x軸が無限遠点に対応し，それ以外の原点を通る直線が数直線$y=1$上の点と対応する。

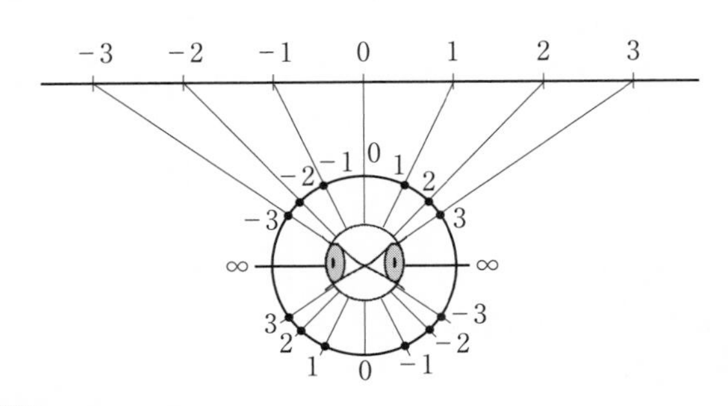

図 4-11　ぐるっと見回すと

＋∞と－∞を，同じものとするもう１つのとらえ方は，直接，円と，無限遠点を加えた直線を対応させてしまうことである。結局，図４－５で考えた２つの無限遠点の＋∞と－∞を同じ点と見てしまえば良いので，図４－12のように半円周の両端の目盛の＋∞と－∞をきゅっと紐で縛ってしまえば良い。

そういう乱暴なことが嫌いならきちんと対応を図で示すこともできる。

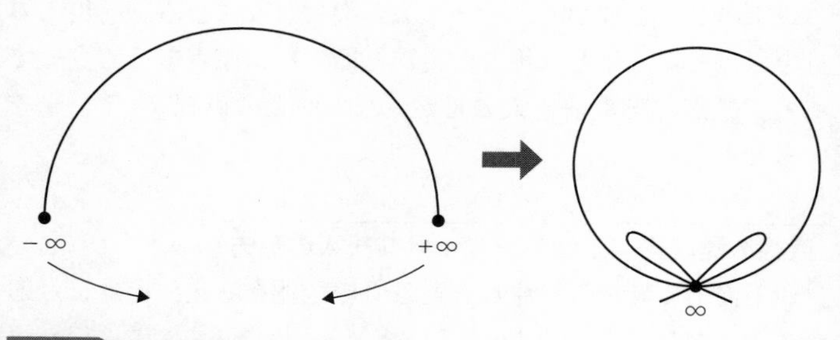

図4-12　２つの無限大をくっつける

直線の無限遠点１個モデル２（円との直接対応）

図４－13のように，円の下端の点Ａから円を直線 l に**射影**する。すなわち，円周上のＡ以外の点Ｐには，直線 l と直線APの交点Ｑを対応させる。点Ａは無限遠点に対応する。

このとき，円周上のＰがどんどんＡに近づいていくということと，直線 l 上の対応するＱが原点からどんどん遠ざかるということが対応していることに注意しておこう。

無限遠点を考えるとき，直線には正の方向と負の方向がある

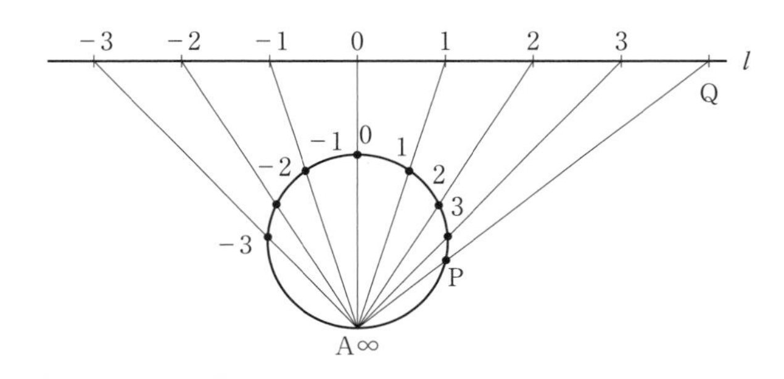

図4-13　1つの無限遠点と円周

のだから無限遠点が2個存在するという考えは自然である。しかし，そのモデルでの無限遠点は，半円周の両端であり，線分の両端と同じように特殊な点である。その意味で無限遠点が2個の考え方は劣る。無限遠点が1個の考え方では，直線上の点も無限遠点もすべて円周上の点と考えられ，あらゆる点が平等である。

しかし，無限遠点が1個という考えは，ある意味で不自然でもある。プラスに走っていってもマイナスに走っていっても同じ点にたどり着くというのは変だ。どちらの考え方にもそれぞれ長所があり，短所がある。

4.3.3 逆数は線対称？

4.3.2の直線の無限遠点1個モデル2（円との直接対応）で，直線と円の対応を考えた。そのような対応をさせるときの円の位置は，図4－14のように何通りもある。

その中の1つの方法は，数直線上での逆数をとる操作が，円における線対称に対応しているので扱いやすい。この考えは，

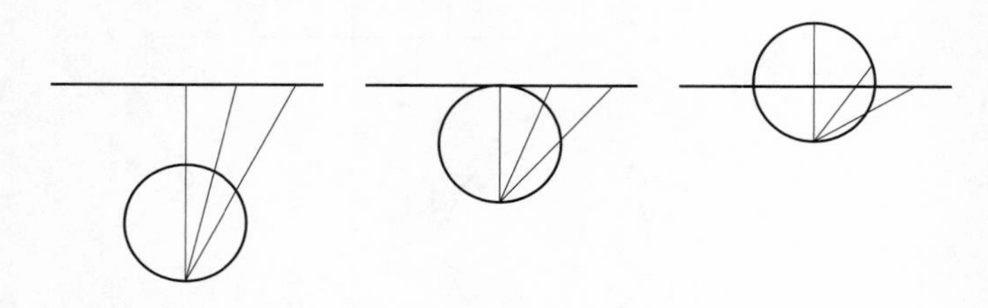

図 4-14　**いろいろな対応**

4.5節で，複素数の逆数を考察するときに利用する。そのために図を逆さにしておこう。そして点N(0, 1) から，x軸に射影するとしよう（図4－15)。図の円は原点を中心とする単位円，すなわち半径1の円である。

円周上の点Pに対応するx軸上の点，すなわち，N(0, 1) とPを結んだ直線とx軸の交点をQ(r, 0) とする。rの逆数 $\frac{1}{r}$ をx座標とするx軸上の点R($\frac{1}{r}$, 0) を求めるにはどうしたら良いだろうか。図形的に考えるとそれが実に簡単なのである。Pとx軸に関して対称な点P′を考え，円周上の点P′に対応するx軸上の点をR′とする。このとき，R＝R′となるのである。

$\frac{1}{\infty}=0$，$\frac{1}{0}=\infty$と定義すると，この考えはこの計算にも対応している。実際，x軸上の0に対応する円周上の点はS(0, －1) であり，∞に対応する円周上の点はN(0, 1) で，NとSは，x軸に関して対称である。

$r\neq 0$，∞の場合，R＝R′を証明してみよう。例えば$r>0$とする。

図4－15で，直角三角形OQNと直角三角形ONR′が相似であることがわかる。三角形OQNにおいてNO：OQ＝1：rである。したがって，２つの三角形が相似であることより，三角

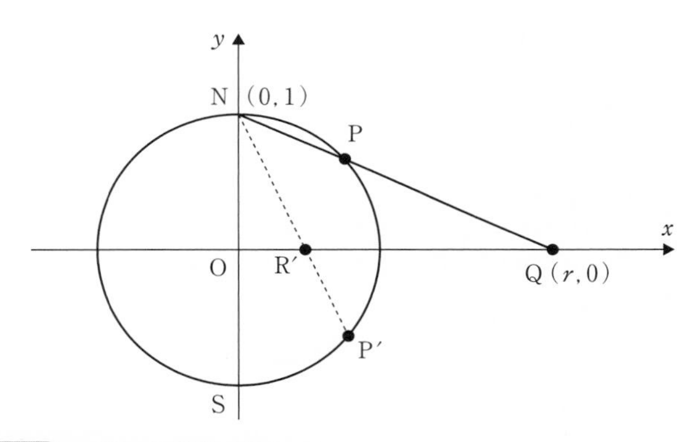

図 4-15　逆数は線対称で得られる

形ONR′ においてR′O：ON = 1：rとなる。ゆえに，R′O = ON・$\frac{1}{r}$ = 1・$\frac{1}{r}$ = $\frac{1}{r}$となる。

2つの直角三角形OQNとONR′ が相似であることを示すには，∠OQN = ∠ONR′ を示せば良い。それは図4 - 16から明らかであろう。

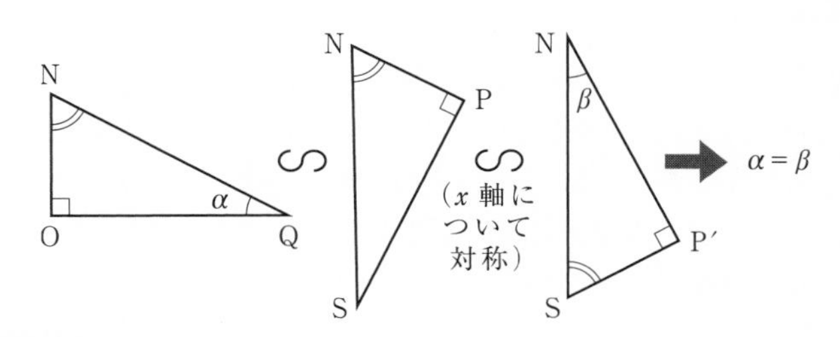

図 4-16　証明

4．4　平面の無限遠点──3通りの考え方

さあ，今度は平面の無限遠点について考えてみよう。直線の

場合は，本質的には，無限遠点２個モデル（4.3.1）と無限遠点１個モデル（4.3.2）の２通りだったが，平面の場合には，３通りのモデルがある。

平面の無限遠点モデル１（人間の視線）

これは図4－17のように私たちが，xyz空間内の原点に目を置いて，平面$z=1$を眺める視線と対応する，ある意味では最も自然なモデルである。無限遠点とは，平面を見ながら１方向のどんどん遠くへ目をやっていったときの極限の視線，すなわち視線が水平方向，言いかえると目を横に向けている状態である。

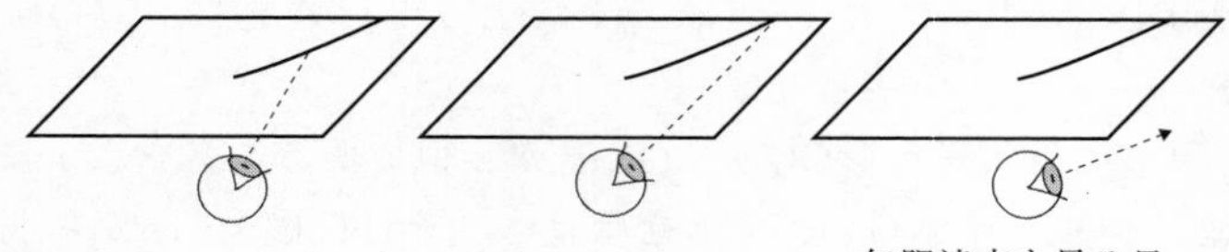

図 4-17　人間の視線

図4－18のように平面上の点あるいは無限遠点を見る視線は，ちょうどその視線方向が，目を中心とする上半球面とぶつかった点と１対１対応する。また，それぞれの方向の無限遠点は，その方向の赤道上の点と１対１対応することがわかる。

このモデルでは，平面上の普通の点は上半球面の内部に対応し，無限遠点は上半球面の境界（へり），すなわち赤道上の点に対応していることに注意しよう。つまり，このモデルでは，普通の点と無限遠点は内部とへりという異なる部分に属し，それらは平等ではないのである。次の２つのモデルでは，どちらでも，無限遠点は普通の点と平等である。

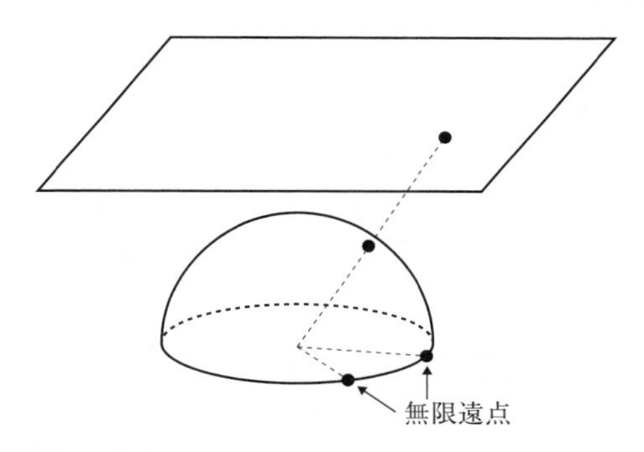

図 4-18　**視線と半球**

平面の無限遠点モデル２（前後人の視線）

モデル１では，空間内の原点に私たちがいて上を見ていたが，このモデルでは，原点に4.3.2で述べた前後人の目を置いて，上だけではなく，空間全体を見渡すとする。

このとき，前後人の視線というのは，原点を通る直線として表せる。無限遠点とは，モデル１と同様に，視線が水平方向，

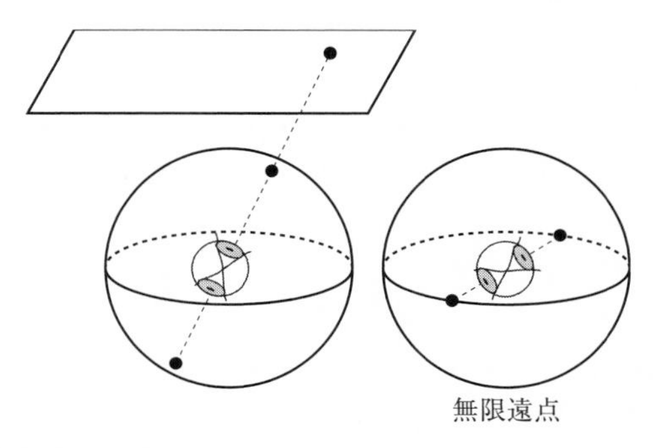

図 4-19　**前後人の視線**

言いかえると前後人が目を水平に向けている状態である。

前後人の視線の傾きは，ちょうどその視線が，目を中心とする球面とぶつかる２点と対応する（図4－19)。そして，無限遠点を表す視線は赤道上の２点と対応することがわかる。１つの直線に対して球面上の２点が対応する。これは１対２対応とでも言うべきものである。

これを１対１対応に変えるには，球面の方で，同じ傾きを表す直径の両端の点をくっつけてしまえば良い。そうやってできる曲面を**射影平面**という。球面の下半分は不要なので，上半球面において赤道上の直径の両端点をくっつけてできる曲面と考えても良い（図4－20（b))。つまり，図4－20（a）のように，赤道を２つの半円に分け，その２つを矢印の向きが一致して重なるようにくっつけるのである。そんなことができるのだろうか。これが一体どんな曲面になるかは4.6節で調べる。

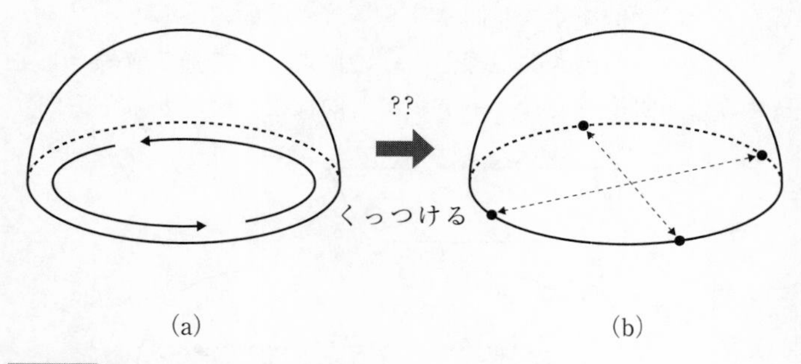

図4-20 **射影平面**

平面の無限遠点モデル３（１個の無限遠点）

最後のモデルは，図4－21のように目をどんどん遠くへやったとき，その方向とはいっさい無関係に１つの無限遠点に近づくという考え方にもとづいている。

モデル1，モデル2と同様に半球から出発して考えるならば，上半球面の赤道をすべて1点にくっつけてしまえば良い。四方八方をすべて1つの点として見るのである。言いかえると，風呂敷を縛るようなものである（図4－22）。

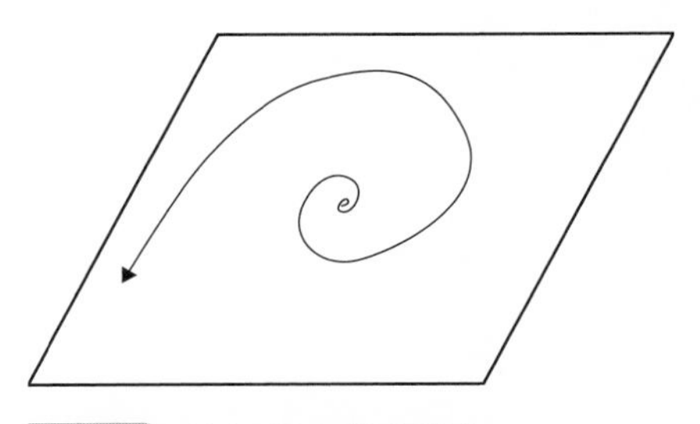

図4-21　遠くへ行けば無限遠点

風呂敷を縛ると球面の形になる。それなら最初から視線全体が球面の点に対応していると考えられそうだ。

その通り。直線の無限遠点1個モデル2（円との直接対応）と全く同じように半球を用いずに，最初から球面を考えることができる。球面の下端の点から球面を平面に射影すればよい（図4－23）。このとき，球面の下端の点が無限遠点に対応すると考えられる。この方法は複素関数論との関連で重要である。

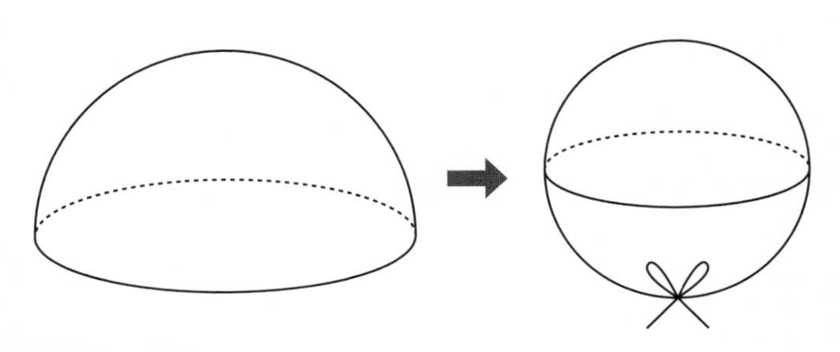

図4-22　風呂敷を縛る

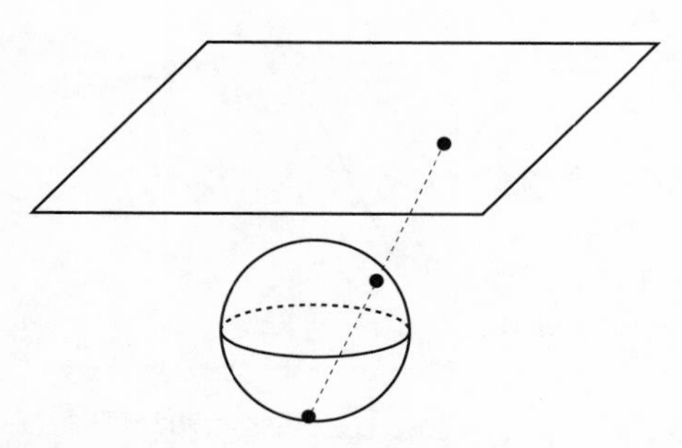

図 4-23　1個の無限遠点

4.5 数球面――逆数はただくるっと回すだけ

平面に無限遠点を1つ加えるモデルは，その平面を複素数平面と考えると，それに無限遠点を加えた**数球面**（**複素球面**，**リーマン球面**ともいう）の考え方と同じである。ただし，数球面を考えるときは$\xi\eta\zeta$空間内の点N(0, 0, 1)から球面を複素平面$\zeta=0$に射影すると考える（図4-24）。ここで，空間をxyz空間としたいところだが，zは複素数を表す大切な役割があるので$\xi\eta\zeta$空間とした。

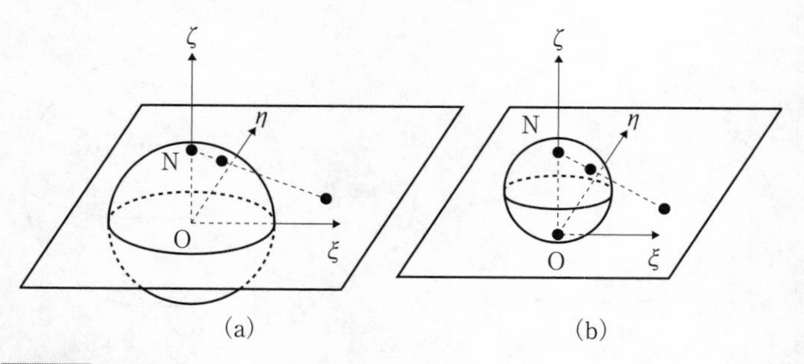

図 4-24　数球面

N(0, 0, 1) を北極とする数球面の半径は，どんな値でも良いのだが，実際に使われるのは，

(a) 原点を中心とする半径1のもの

(b) $\xi\eta$ 平面と原点で接する半径 $\frac{1}{2}$ のもの

の2通りである。

ここでは (a) の考え方をする。

複素関数論を習うとき，多項式関数の次に出てきて，大きな役割を果たすのが，**1次分数関数**，すなわち $w=\frac{az+b}{cz+d}$ という形の関数である。ただし，a，b，c，d は複素数で，$ad-bc\neq 0$ とする。

このような関数は次の3つの形の関数の合成として表せることが知られている。

(1) $w=z+\alpha$

(2) $w=\alpha z$

(3) $w=\frac{1}{z}$

このうち (1)，(2) の2つの変換は私たちにとっておなじみである。それでは (3) の変換は一体何を表すのだろう。

まず，複素平面上で考えてみる。$z=re^{i\theta}=r(\cos\theta+$

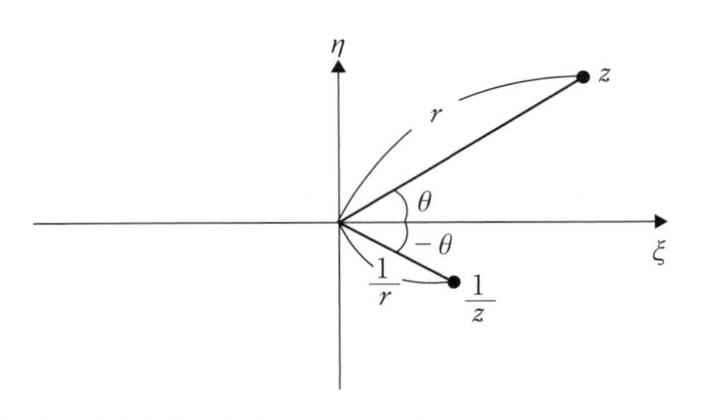

図 4-25　複素平面内での逆数のわかりにくさ

$i\sin\theta$）として，複素数zを絶対値rと偏角θで表しておく。複素平面での逆数$w=\dfrac{1}{z}$は，$\dfrac{1}{z}=\dfrac{1}{re^{i\theta}}=\dfrac{1}{r}e^{i(-\theta)}=\dfrac{1}{r}\{\cos(-\theta)+i\sin(-\theta)\}$で，図4－25のような点だった。

この表し方はわざとらしく，直観的ではない。逆数$\dfrac{1}{r}$の大きさが表す位置が幾何学的にはっきりしないからである。ところが数球面で考えると実にわかりやすいものへと変身する。$w=\dfrac{1}{z}$を数球面で考えるとどのような操作に対応するか考えてみよう。

ここでは，$\xi\eta$平面を複素数平面と考えていることを思い出しておこう。すなわち，複素数$z=\xi+\eta i$を，空間の点（ξ, η, 0）と同じ点と考える。複素数平面と数球面との対応によってzに対応する球面上の点をPとする。N(0, 0, 1）とzを結ぶ直線と数球面の交点がPである。まず，zに共役な複素数$v=\bar{z}=r\{\cos(-\theta)+i\ \sin(-\theta)\}$は，複素平面上では，実軸に関する$z$の対称点である。したがって，$v$に対応する球面上の点Vは，$\xi\zeta$平面，すなわち平面$\eta=0$に関するPの対称点である（図4－26)。

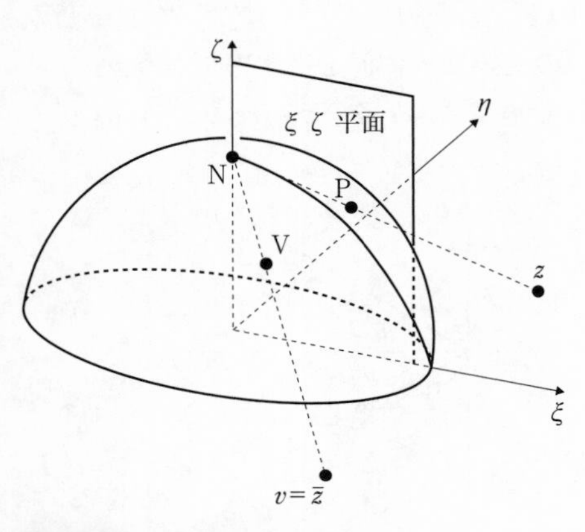

図4-26　共役を取る操作

次に$\dfrac{1}{z}$(すなわち，vと同じ偏角で，絶対値がvの大きさrの逆数，$\dfrac{1}{r}$である複素数）を求めるには，4.3.3の考えを用いると，平面$\zeta=0$に関してVと

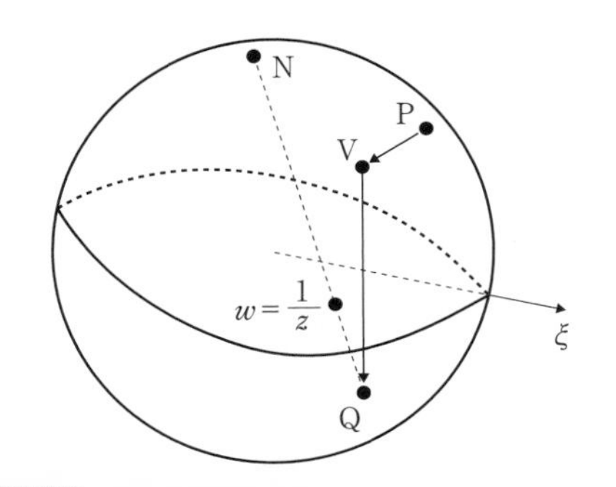

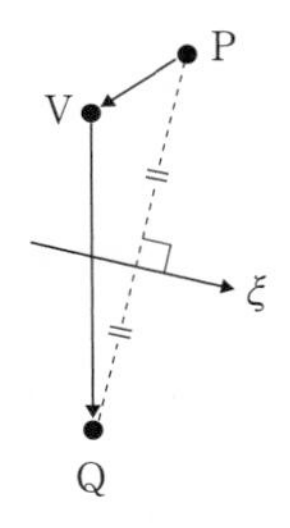

図 4-27　**逆数の数球面での操作**

対称な球面上の点Qを考え，それに対応する複素数を求めれば良い（図4－27）。数球面上の点を座標で考えると次のようになる。複素平面上の点$z=x+yi$が，数球面上の点P$(\xi,\ \eta,\ \zeta)$に対応するものとする。このとき，数球面上の点V（ξ，$-\eta$，ζ）に対応する複素平面上の点が，$v=\frac{1}{\bar{z}}$で，数球面上の点Q（ξ，$-\eta$，$-\zeta$）に対応する複素平面上の点が，$w=\frac{1}{z}$である。このとき，Qは，Pを，ξ軸のまわりに180度回転させた点であり，非常にわかりやすいものになっているのである。

したがって，複素平面上のある図形Aが，変換$w=\frac{1}{z}$でうつる図形Bを求めたかったら，図4－28のように，まず，図形Aに対応する数球面上の図形A'を描き，次にそれをξ軸の周りにくるっと180度回転させてそれをB'とし，最後に複素平面に戻してそれをBとすれば良い。

逆数をとるという操作は，数球面ではξ軸の周りの180度回転であることを見てきた。このように考えると点0（球面上の南極と対応）と無限遠点∞（球面上の北極と対応）が図形的にも逆数として対応していることが容易に理解できるだろう。

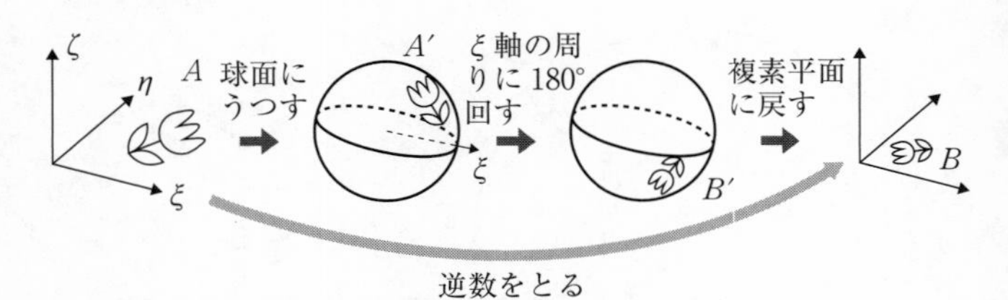

図 4-28 逆数のわかりやすさ（ただくるっと回すだけ）

4.6 メービウスの帯，クラインの壺，射影平面ってどんな図形？

4.4節の平面の無限遠点モデル２で，前後人が空間の原点から見た視線，言いかえると原点を通る直線を考え，それらの集まりを射影平面ということを知った。

ここでは，射影平面とは図形的にはどんなものかを考えよう。その準備として，メービウスの帯を調べる。ついでにクラインの壺にも触れる。

メービウスの帯というのを聞いたことがあるだろうか。子どものときに作って遊んだ人も少なくないと思う。図のように，細長い長方形の紙（短冊）を用意する。

もし，それを図4－29のように糊付けすると円柱になる。

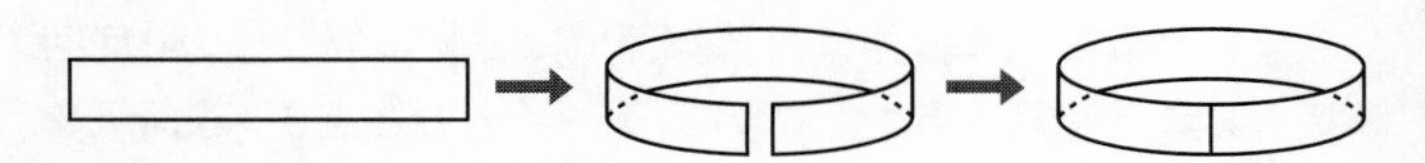

図 4-29 円柱の作り方

ところが，図4－30のように1回ひねって（180度回転させて）糊付けするとメービウスの帯となる。

図 4-30　メービウスの帯の作り方

メービウスの帯で遊んでみよう。それには，図4－31のように切ってみるのである。真ん中で切ってみるとどうなるだろうか。ポイントは次の2点である。

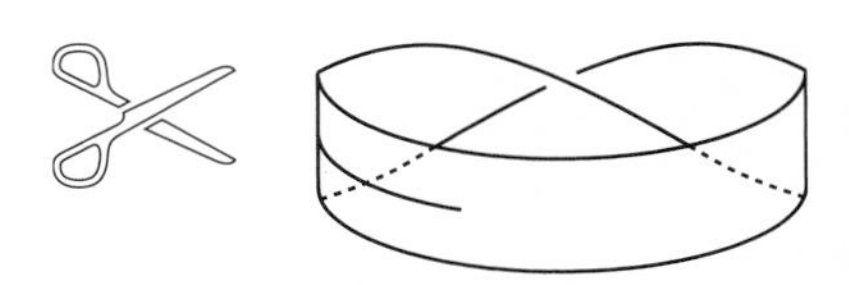

図 4-31　2つに切ると…

(1) 何本になるだろうか。

(2) 何回ねじれているだろうか。

答えを見る前にご自分でやってみたら良い。

答えは，図4－32の通りで，1本となり，720度ねじれている。これは，もとの短冊の半分の幅で，2倍の長さの短冊を用意して720度ねじって糊付けしてできた図形と同じとなる。

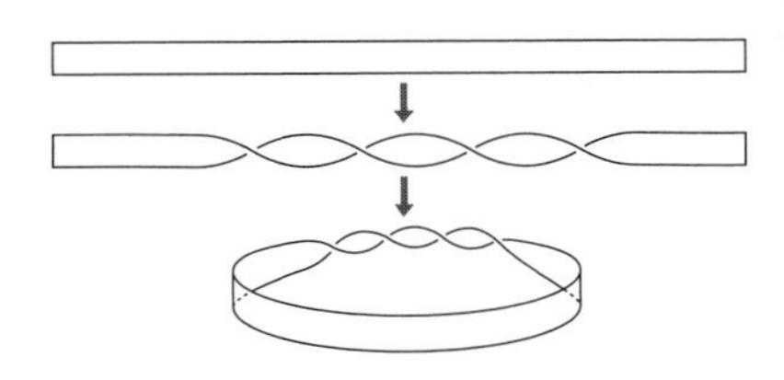

図 4-32　この通り

それではもっとたくさんに切ったらどうなるだろうか。例えば3つに切ってみよう。これもご自分でやってみていただきたい。今度はさらに次の2点もポイントとなる。複数本となったとすると，

(3) それぞれの長さはどうだろうか。

(4) それらは絡み合っているだろうか。それともばらばらに分かれるだろうか。

3等分するのだから，はさみを図4－33の①から入れると，後でもう一度②にはさみを入れなおさなければいけないような気がする。しかし，不思議なことに①から入れたはさみはぐるっと回ってくると②の位置にくるので，1度切るだけとなる。

答えは，2本である。2本の幅はともに，もとの幅の$\frac{1}{3}$，短い方はもとの長さと同じで，180度ねじって糊付けしたメービウスの帯，長い方はもとの長さの2倍で，720度ねじって糊付けしたものとなっている。そしてそれらは図のように絡まっていて，決して分かれない。

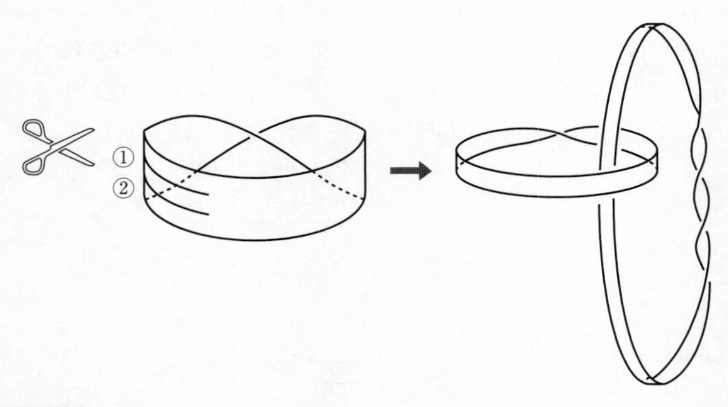

図4-33 **3つに切ると**

もし興味があったら一般にメービウスの帯をn個に切るとどうなるか考えてみていただきたい。

メービウスの帯のもう1つの面白い性質として，メービウスの帯は裏表の区別ができないということがある。数学では**向き付け不可能**であるという。

メービウスの帯では図4－34の①の位置で表にいると思って，表の向きに矢印を向けていても，②～⑥という風にぐるっと1周してくると，不思議なことに，いつのまにか裏に矢印を向けてしまっている。

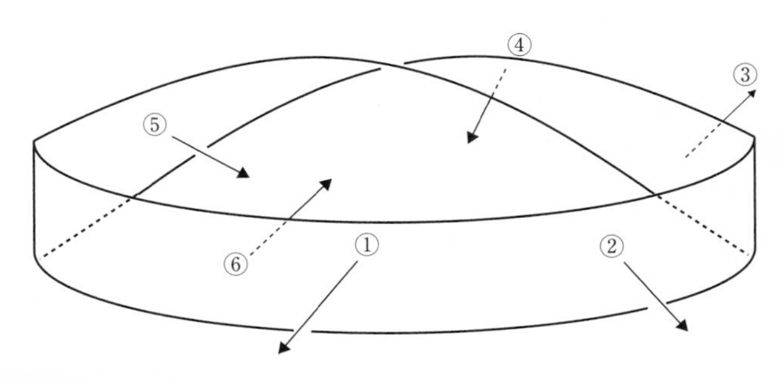

図4-34　**表だと思っても、いつのまにか…**

メービウスの帯と違って，平面や球面や，短冊を360度ねじって糊付けしてできる図形では裏表が区別でき，これらの曲面は**向き付け可能**であるという（図4－35）。どちらが表でどちらが裏かは個人の趣味によるが，どちらかを表と宣言したら裏と表は区別できるという意味である。メービウスの帯は向き付け不可能だが，メービウスの帯を2つに切ってできる曲面（＝短冊を720度ひねって糊付けしてできる曲面）は，向き付け可能であることに注意しておこう。

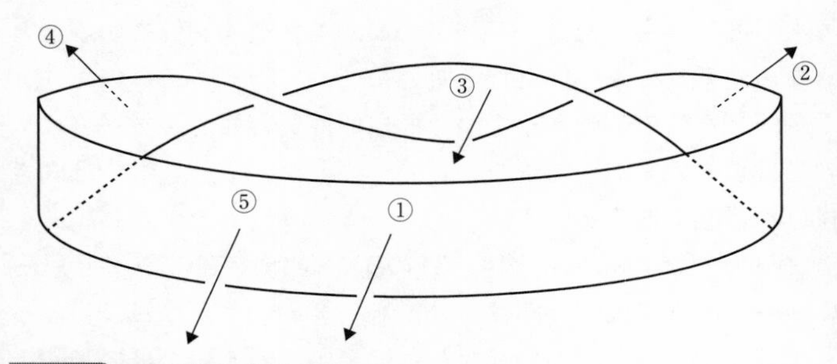

図 4-35　**向き付け可能な曲面**

メービウスの帯の不思議さはそれだけではない。私たちがもしメービウスの帯に住んでいたとすると，メービウスの帯を１周すると違った生物になって帰ってきてしまう。図4－36の２種類の生物をＡ型生物，Ｂ型生物と名づけよう。Ｂ型生物はＡ型生物を鏡にうつしてできる生物だと考えられる。Ａ型生物はいくら平面上の合同変換（回転や平行移動）で移動させても決してＢ型生物にはならない。ところがメービウスの帯をぐるっ

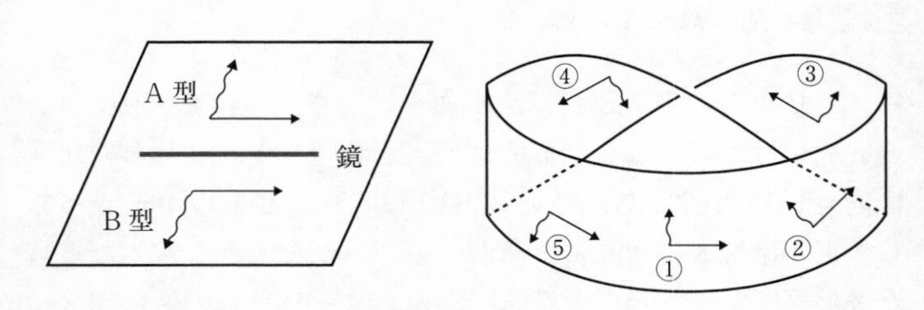

図 4-36　**ぐるっと１周したら違う生物に**

と1周してくるとA型生物はB型生物に変わってしまうのである。ただし，帯は透明で厚みがなく，同じ図に見えれば，表に描いてあっても裏に描いてあっても同じ生物だと考えている。

同様に考えるともし，私たちの宇宙がメービウスの帯的だったら，宇宙をぐるっと1周してくると私たちは鏡にうつった私たちになってしまう可能性すらあるのである。

次にクラインの壺を考えよう。細長い長方形を用意する。始めにお断りしておくが，これは紙では作れないし，実験できないので想像するだけである。

まず，図4-37（a）のように上の辺と下の辺を糊付けする。そうすると筒（＝円柱）ができる。次にこの筒をさらに糊付けして作る。試しに，図4-37（b）の矢印が重なるように貼り

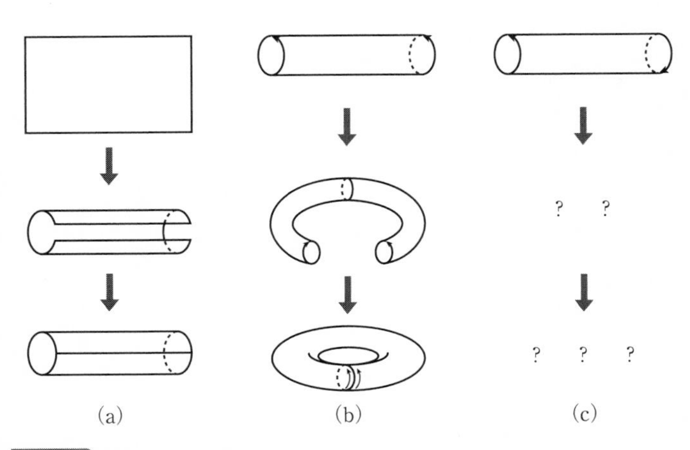

図4-37　筒とドーナツ面

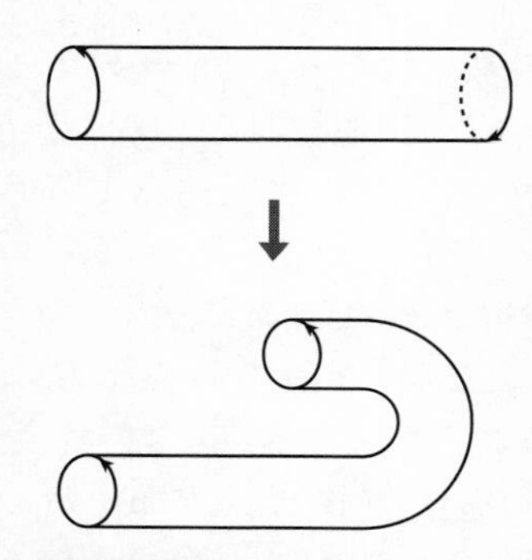

図 4-38　口を同じ方向に

あわせる。これはそんなに難しくない。ドーナツ面ができる。

では，これを図4－37（c）の2つの矢印が重なるように貼りあわせたらどうなるだろうか。そんなことはできないと言われそうだが，大丈夫である。ちょっと考えていただきたい。

まず，筒の口を同じ方向に向ける（図4－38）。

「確かにこれで矢印の向きがそろったけど，このままくっつけるのはどう考えてもできそうもない」

その通り，できるわけないのだ。それでも無理やりくっつけてしまおう。筒の上の口を，筒の一部を貫通させて，もう1つの筒の口とくっつけてしまう（図4－39)。こうして出来上がったのが**クラインの壺**である。

そんなこと筒を破らないとできないと言われるかもしれない。確かに私たちの3次元空間ではこれはできない。しかし4次元空間ではできるのである。この図は実は4次元空間に描いた図だと考えるのである。

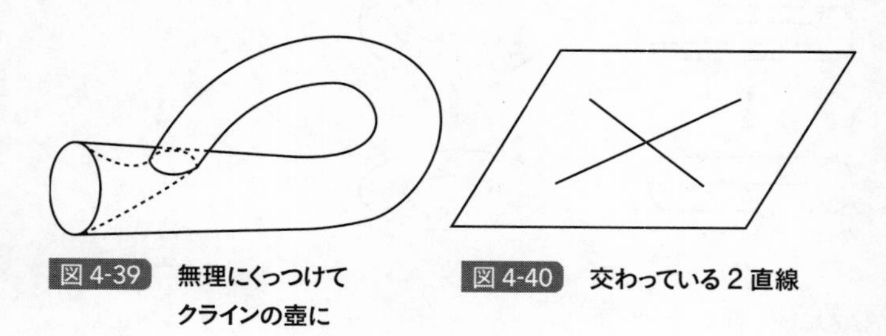

図 4-39　無理にくっつけてクラインの壺に

図 4-40　交わっている2直線

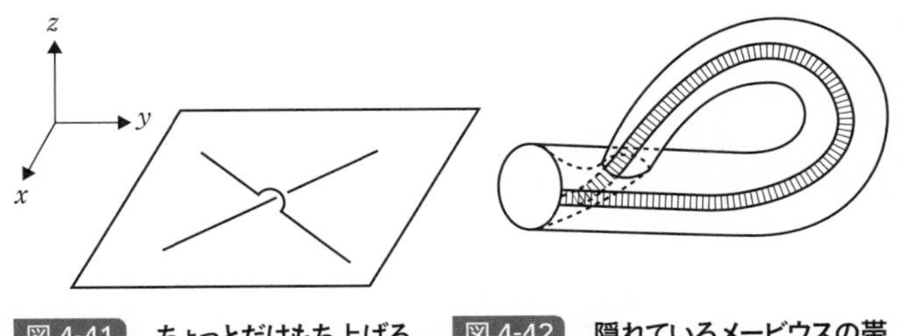

図 4-41　ちょっとだけもち上げる　図 4-42　隠れているメービウスの帯

ピンとこないかもしれないので，次元を落として考えよう。私たちがもし，平面に住んでいるとして，図4－40の交わっている２本の線を見てみよう。

確かにこれは交わっている。しかし，あるとき２次元世界の科学が発展して，実は私たちの世界にもう１つの方向があることが発見できたとしよう。すると片方の線を交点のところでちょっとだけ第３の方向（この場合はz軸）にもち上げよう。そうすると２本の線は交わらなくなる（図4－41）。

クラインの壺も，４次元の中で，交わっている片方をちょっとだけ第４の方向にもち上げたと考えると交わらないようにできるのである。

クラインの壺は向き付け不可能である。なぜならばそこにはメービウスの帯が潜んでいるからである（図4－42）。

それでは，いよいよ4.4節，図4－20で考えた射影平面の実際の貼り合わせに挑戦しよう。射影平面とは，前後人の視線全体，言いかえると原点を通る直線全体を表すものだった。そして，図形的には，図4－43のように半球面を考え，赤道上の点でお互いに直径の両端となっている点どうしをくっつけてできるものだった。言いかえると，図の２つの矢印が重なるように

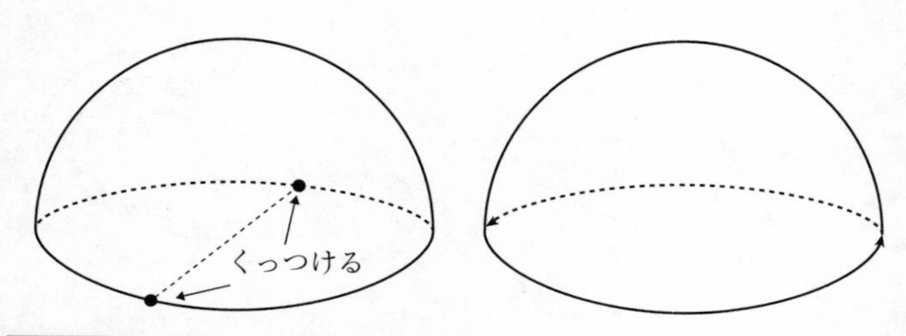

図 4-43　射影平面を貼り合わせで作る

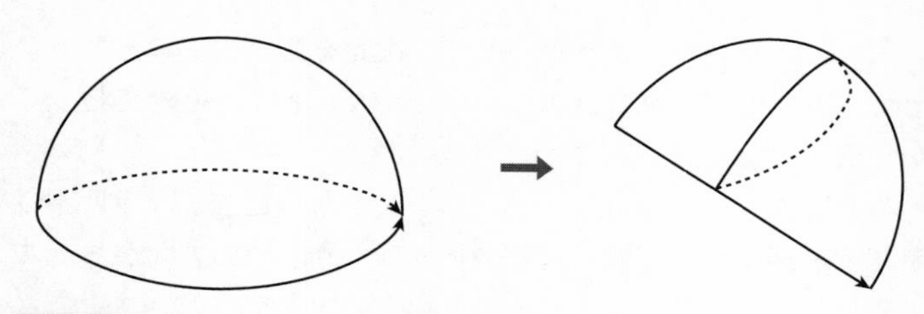

図 4-44　餃子

くっつけるのである。

もし，２つの矢印が図4－44のようになっていればできあがりは簡単である。つまり餃子である。

しかし，射影平面の矢印はその逆である。どうしたら良いだ

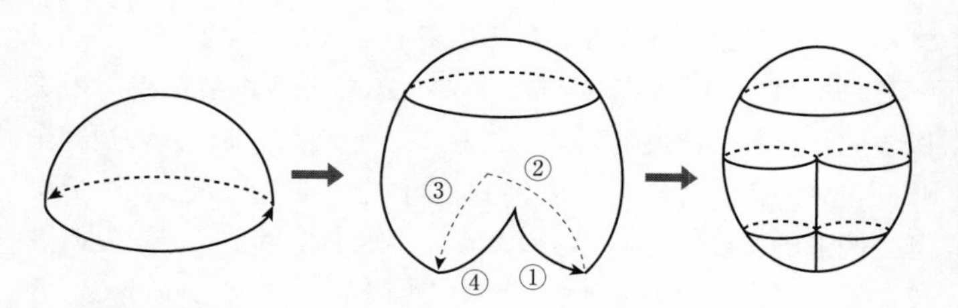

図 4-45　射影平面のできあがり

ろうか。それには，図4-45のようにまず半球面を少し折って，半球面の半分を向かい合わせる。そうすると矢印の向きが同じになってくっつけることができる。辺①と③，辺②と④をくっつけるのである。ここでは，そのようにくっつけてできる2つの面がぶつかっているように描いてある。しかし，クラインの壺のときと同じで，4次元空間で描いた図と考えて，片方の面をちょっと第4の方向にもち上げて本当は交わっていないと考えるのである。

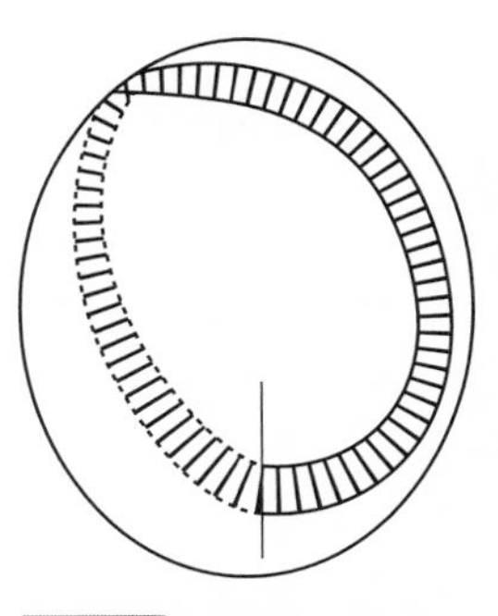

図4-46　**射影平面にはメービウスの帯が潜んでいる**

射影平面は向き付け不可能な曲面である。なぜならば図4-46の斜線部分はメービウスの帯となっている。

4.7 図形問題を風景と見ると——射影幾何学入門

幾何学の問題が与えられたとき，その命題の図を，たんなる無機的な図形と見るのではなく，親しみのある風景ととらえることによってたちどころに解決してしまうという証明方法がある。それは**射影幾何学**とよばれる。ここでは，平面におけるパスカルの定理に話題を限ってそれを説明しよう。**パスカルの定理**とは次の定理である。この定理には，いろいろなバージョンがあり，次のものはその1つの，円・交点バージョンである。中学で習った図形問題よりちょっと複雑である。

パスカルの定理1（円・交点）

円に内接する六角形ABCDEFの向かい合った辺，ABとDE

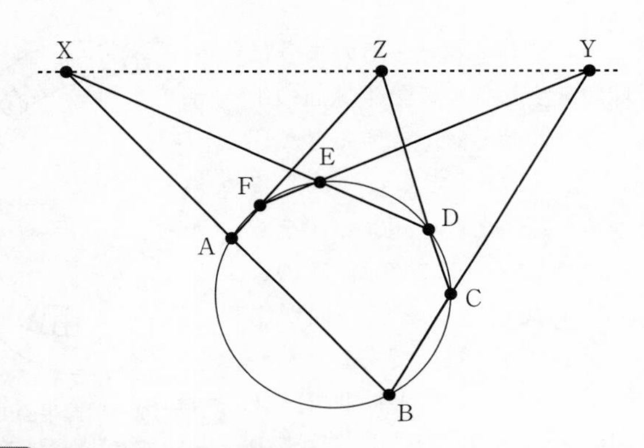

図 4-47 **パスカルの定理１（円・交点）**

の交点をX，BCとEFの交点をY，CDとFAの交点をZとすると，X，Y，Zは，同一直線上にある。

さあ，この図形が風景と見えるだろうか。

ランダムドット・ステレオグラムといって，一見何の意味もない点がたくさん打ってある図をご覧になったことがあるだろうか。目をある程度近づけて見つめると立体が見えてくる。それには多少目の練習が必要である。著者はいまだかつて立体に見えたためしがない。

ところで，このパスカルの定理の図はそれとは別物だ。目を近づけたり遠ざけたりして見えるという代物ではない。むしろ，遠くに旅行へ行ってぼんやりと景色を見ている，そういう気持ちになることが必要である。これが風景に見えるには少しコツがいる。練習してみよう。まず，次の図4－48は一体何を表しているだろうか。

「どちらの図も，２本の線が１点で交わっているだけじゃない

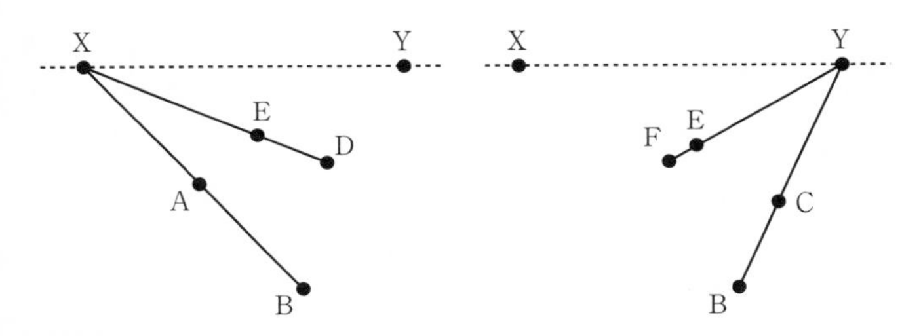

図 4-48　これは何？

か。何をばかなことを言っているんだ」と思われるかもしれない。ある意味ではその通りである。しかし，もし，直線XYが地平線に見えたとしたら大したものだ。パスカルの定理が当たり前に見えてくるための貴重な１歩だ。この図は本当は，地平線XYに向かって真っ直ぐ平行に進んでいる２組の道路BAとDE，そしてBCとFEを，ある位置に立って，見たまま描いたものだとずばり当てられたらそれはもう完璧だ。そう，平行な直線は必ず地平線で交わって見えるのだ。みなさんは遠くに向かって真っ直ぐに伸びている線路をご覧になったことがあるだ

図 4-49　遠くへ向かう線路

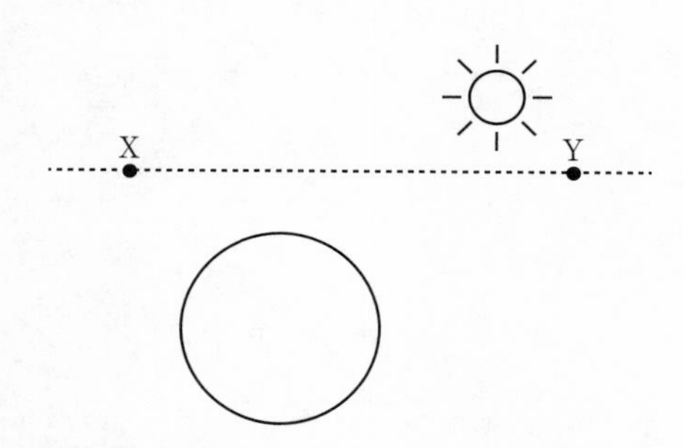

図 4-50　それではこれは何？

ろうか。例えば，道路BAとDEは，実際には図4－49のような風景なのである。

それでは次の図4－50は何だろう？

これが円に見えたなら，まだまだ修行が足りない。実はこれは楕円なのである。図4－50が，ある地点から見た風景で，その中に円に見えるものがあったとすると，地面に本当に描かれているのは円ではなく，円が長く伸びた楕円である。

見えている景色をリアルに想像してみよう。もうおわかりになっただろうか。最後にまとめておこう。目が慣れてきたら図4－51のように，景色が浮かび上がってくるはずだ。

少し意地悪をしすぎたかもしれないが，このように図形というものは見方によって形が変わるのである。

それでは地面に描かれているのは本当は一体どんな図なのだろう。

だいたい想像がついただろうか。

本当の図は図4－52のようになる。少し復習をしてみよう。私たちは直線XYを風景の中の地平線とみなした。すると一体，地面に描かれている図は本当はどんな図なのだろうかと考えた。目から見ると直線BAと直線DEは地平線で交わっているのだから，BAとDEは本当は平行なのだと判断した。もし，地面に描かれた直線CDとFAが平行だということがわかれ

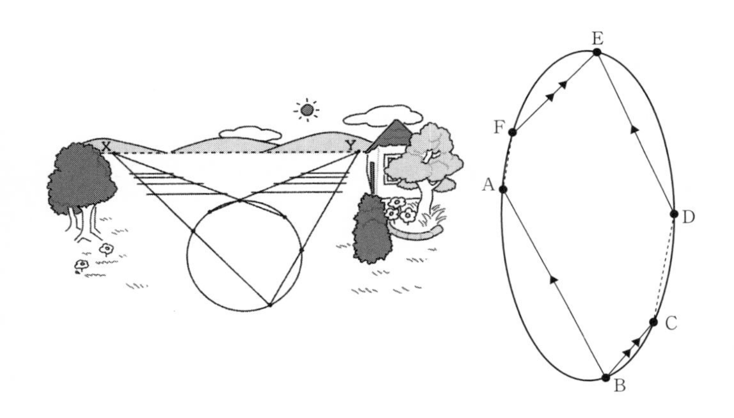

図 4-51　見かけの景色

図 4-52　本当の図

ば，もとの風景の図で，直線CDと直線FAが地平線XYで交わるように見えるはずだということがわかる。したがって，直線CDと直線FAの交点Zが地平線XY上にある，すなわち，点X，Y，Zが一直線上にあることになりパスカルの定理1の証明が終わる。

したがってパスカルの定理1（円・交点）を示すには，次の，パスカルの定理の楕円・平行線バージョンが示されれば十分であることがわかった。

パスカルの定理2（楕円・平行線）

楕円に内接する六角形ABCDEFの向かい合った辺，ABとDEが平行，BCとEFが平行ならば，CDとFAも平行である。

さらに，このパスカルの定理2を示すには，次の特別な場合，すなわち楕円ではなく円の場合のみを示せば良いことがわかる。

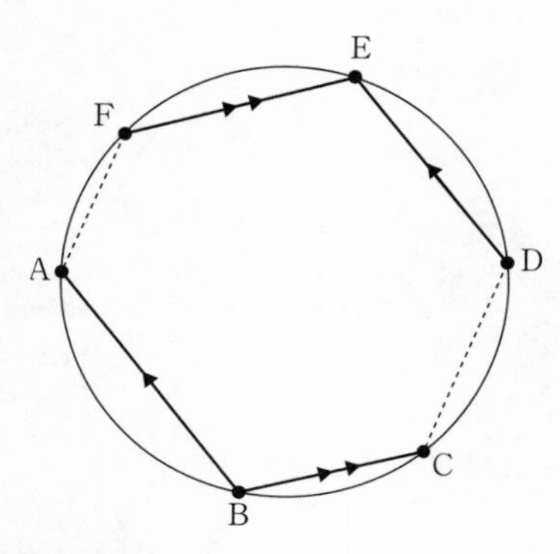

図 4-53
パスカルの定理３（円・平行線）

パスカルの定理３（円・平行線）

円に内接する六角形ABCDEFの向かい合った辺，ABとDEが平行で，BCとEFが平行ならば，CDとFAも平行である。

なぜ，円に関するパスカルの定理３が言えれば，一般の楕円

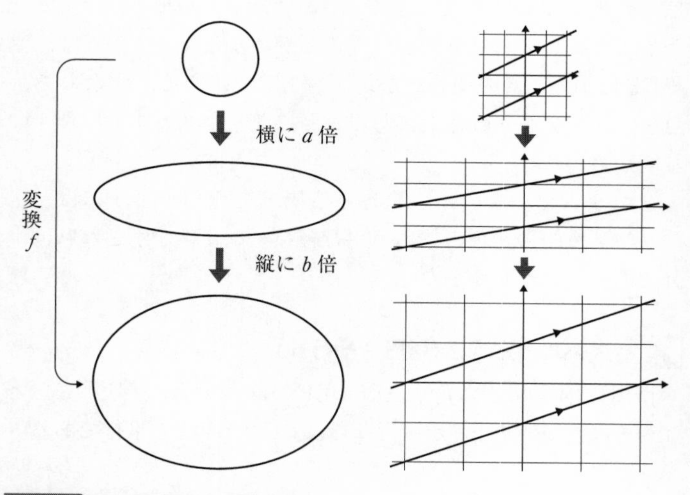

図 4-54 円から楕円への変換 f

に関するパスカルの定理2が示せるのだろうか。それには楕円と円の関係を思い出す必要がある。楕円というのは単位円（＝半径1の円）をある方向にa倍し，その後それと垂直な方向にさらにb倍したものである。平面上のこのような変換をfとする。平面のある方向に何倍かするという変換で，直線は曲がらずに，やはり直線にうつり，平行な2直線は平行な2直線にうつる。したがってそのような変換を2回続けてできる変換fによってもやはり，直線は直線にうつり，平行線は平行線にうつる。fの逆変換f^{-1}は，ある方向を$\frac{1}{a}$倍にし，それと垂直な方向を$\frac{1}{b}$倍する変換なので，やはり，直線は直線に，平行線は平行線にうつすことに注意しておこう（一般に線形変換とよばれる変換fは，逆変換f^{-1}をもつならば，この性質をもつ）。

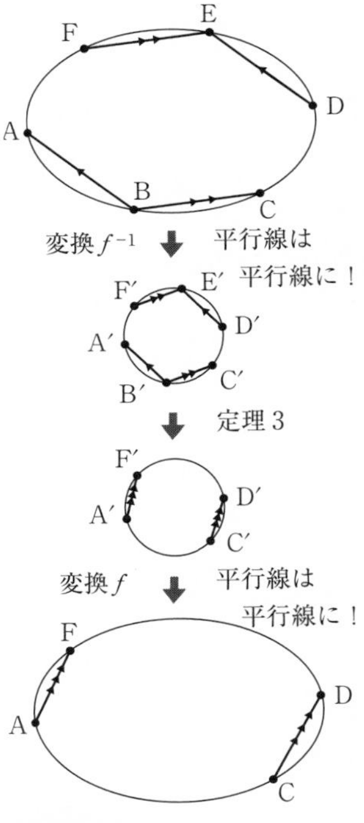

図4-55
定理3から定理2を示す

では，パスカルの定理3を仮定し，定理2を証明しよう。

定理2を示すのだから，図4－55のように楕円に内接する六角形ABCDEFが与えられていて，向かい合った辺，ABとDEが平行，BCとEFが平行と仮定する。今言ったように，この楕円が単位円からさきに述べた変換 f で得られたものとする。

まず，楕円に変換 f^{-1} をほどこす。すると楕円は単位円になり，六角形ABCDEFは対応する六角形A′B′C′D′E′F′ になる。すでに述べたように変換 f^{-1} で平行な直線は平行な直線にうつるので，A′B′ とD′E′ が平行で，B′C′ とE′F′ が平行となることがわかる。

今，円に関するパスカルの定理３を仮定したので，それを用いるとC′D′ とF′A′ が平行であることがわかる。そこで，変換 f をほどこしてもとに戻すと，もとの直線CDとFAが平行であることがわかる。

さあ，それでは最後に残った，パスカルの定理３（円・平行線）の証明を行おう。

（パスカルの定理３の証明）（図4－56）：ABとDEが平行より，平行線では錯角が等しいことから∠ABE＝∠DEB＝xとおける。BCとEFが平行より，同様に∠CBE＝∠FEB＝yとおける。したがって，

(1) ∠ABC＝∠ABE＋∠CBE＝$x + y$＝∠DEB＋∠FEB＝∠DEFとなる。

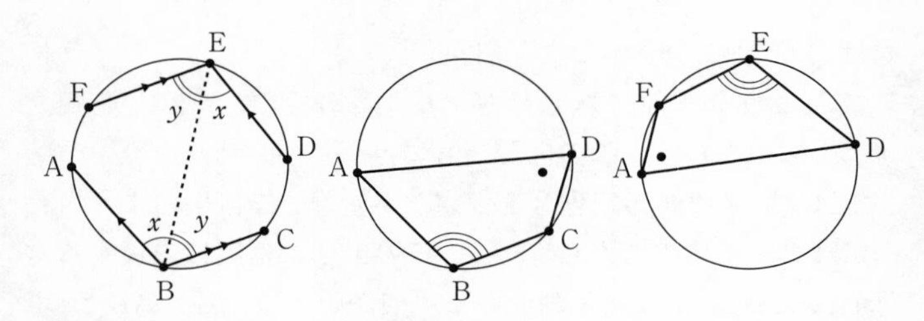

図 4-56　パスカルの定理３（円・平行線）の証明

円に内接する四角形では向かい合った角の和は180度であったことを思い出しておこう（この事実は念のため，後で証明する）。四角形ABCDは，円に内接するので，

(2)　∠ABC＋∠ADC＝180度

また，四角形ADEFは，円に内接するので，

(3)　∠DEF＋∠DAF＝180度

したがって，(1)，(2)，(3) より，∠ADC＝∠DAFを得る。ゆえに錯角が等しいのでCDとFAは平行となる。

最後に，今証明中に用いた，円に内接する四角形に関する次の定理を証明しておこう。

定理（円に内接する四角形）

円に内接する四角形では，向かい合った角の和は180度である。

例えば図4－57の四角形で，向かい合った角，∠Aと∠Cの和は180度というわけである。同様に，向かい合った角∠Bと∠Dの和も180度となる。

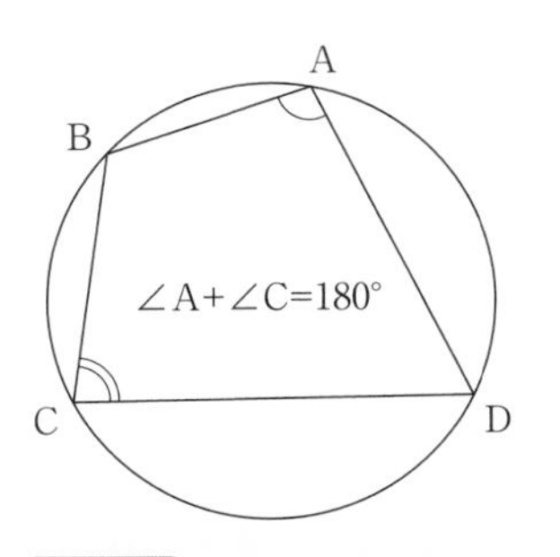

図4-57　円に内接する四角形

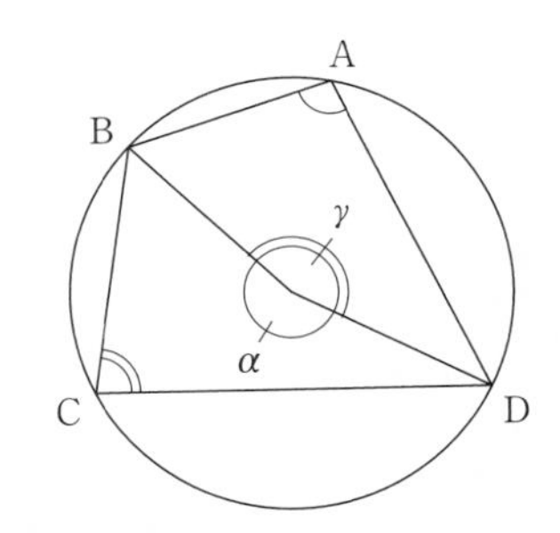

図4-58　証明図

これを示すには，昔習った円周角の定理，すなわち円周角は中心角の半分であることを思い出そう。

すると図4－58で，$\angle A$は，中心角$\angle\alpha$に対する円周角より，$\angle A=\dfrac{\alpha}{2}$。また，$\angle C$は，中心角$\angle\gamma$に対する円周角より，$\angle C=\dfrac{\gamma}{2}$。ところで，$\alpha+\gamma=360°$。したがって，

$$\angle A+\angle C=\frac{\alpha}{2}+\frac{\gamma}{2}=\frac{\alpha+\gamma}{2}=\frac{360°}{2}=180°$$

となる。

4．8　放物線が円に見えた！——円錐曲線

楕円（円を含む），放物線，双曲線は**2次曲線**とよばれる。なぜならば，それらは，xy平面上では，$ax^2+by^2+cxy+dx+ey+f=0$という形のx，yの２次方程式で表されるからである。これらの曲線が同じ仲間であるのは，このように，方程式の形が似ているからである。

しかし，それだけではない。世の中，あるとき悟りをひらくと今までとは全く違うように物事が見えてくることがある。数学でもそのような醍醐味を感じるときがある。前節で，平面上の図形問題を風景と見ることで新しい発見があった。ここでは，円，楕円，放物線，双曲線は，方程式の形だけでなく，図形的にもある意味で同じ仲間であることを見てみよう。

ちょっとした問から出発しよう。

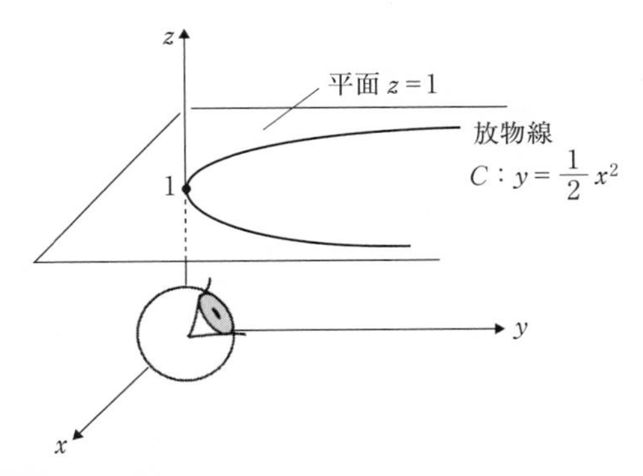

図 4-59　**放物線は何に見える?**

問　原点に目を置いて，平面$z=1$上の放物線$C:y=\frac{1}{2}x^2$を見る。一体どのように見えるか。

果たして想像できるだろうか。大部分の方はわからないと思う。驚くべきことに答えは円である。それも円の一部ではなく全部である。ただし，円周上の1点だけを除くが，1点は目では区別できないので完全な円に見える。

なぜそうなのか調べてみよう。原点Oから放物線Cを見る視線を調べてみよう。原点Oと放物線上Cの点$\mathrm{P}(t,\ \frac{1}{2}t^2,\ 1)$を結ぶ直線$l$が視線である。$l$と平面$\alpha:y+z=1$との交点を調べてみる。$l$上の点は

$(x,\ y,\ z)=k(t,\ \frac{1}{2}t^2,\ 1)=(kt,\ \frac{1}{2}kt^2,\ k)$と表せるので，$y+z=1$に代入して，$\frac{1}{2}kt^2+k=1$。ゆえに$k=\frac{2}{t^2+2}$。したがって，交点は，

$\mathrm{P}':(\frac{2t}{t^2+2},\ \frac{t^2}{t^2+2},\ \frac{2}{t^2+2})$となる。ここで$\mathrm{P}'$と平面$\alpha$上

の点A$\left(0, \frac{1}{2}, \frac{1}{2}\right)$との距離$d$を測ると，

$$d=\sqrt{\left(\frac{2t}{t^2+2}\right)^2+\left(\frac{t^2-2}{2(t^2+2)}\right)^2+\left(\frac{2-t^2}{2(t^2+2)}\right)^2}$$

$$=\sqrt{\frac{2(t^4+4t^2+4)}{\{2(t^2+2)\}^2}}=\frac{1}{\sqrt{2}}$$

となる。したがってP′は，平面α上の，点Aを中心とする半径$\frac{1}{\sqrt{2}}$の円周C'上にある（図4－60）。

したがって，放物線は円に見えるのだ。えっ，まだわからない？　もう少し詳しく解説しよう（図4－61）。原点Oから放物線C上の点Pを見ながら視線を動かす。その視線の動きと，原点Oから円C'上の点P′を見ながら視線を動かす。その視線の動きが一致するのである。

したがって原点から放物線を見るときに目をぐるっと回すことになり，ちょうど円に見えるのである。信じられないと思われるかもしれない。でも本当だ。ただし，円周上のある1点を表す視線だけが放物線を見たときに出てこない。その点は，どこだろうか。そうだ。その通りである。円周の一番下の点を見る視線，すなわちy軸は，平面$z=1$と平行なので決して放物線Cと交わらない。

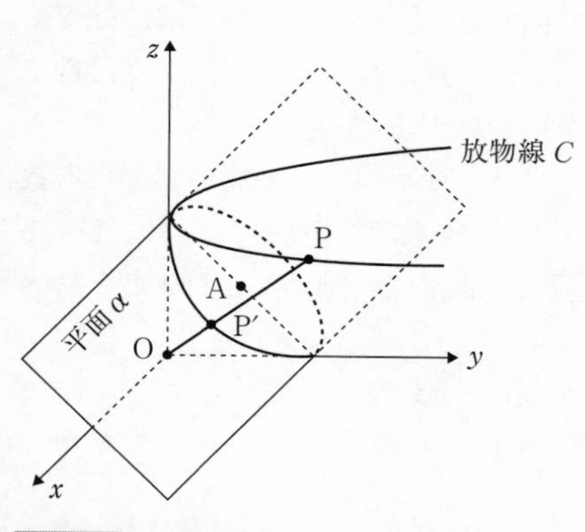

図4-60　放物線が円に?

放物線だけでなく，

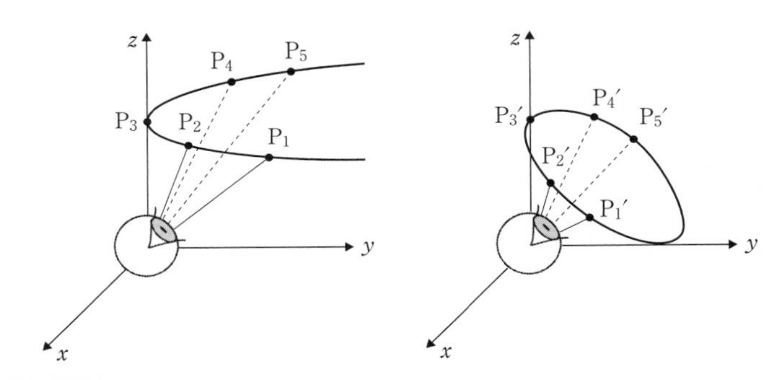

図 4-61　**視線の動き**

2次曲線は，ある見方をするとすべて円に見える。この事実を理解するには，円錐曲線という考え方が必要だ。2次曲線，すなわち，円，楕円，放物線，双曲線は，**円錐曲線**ともよばれ，円錐を平面で切ってできる曲線である。後で事情がわかると思うが，なぜか2つの円錐面を逆さにして頂点でくっつけたものを考える。円錐は上下に無限に伸びていると考える。この円錐

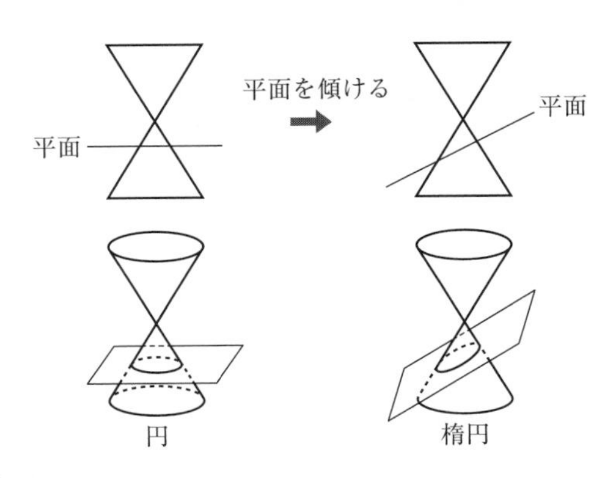

図 4-62　**円と楕円**

面をどのような平面で切ればどんな曲線ができるだろうか。円と楕円は簡単だ。図4－62のように水平に切れば円，少し傾ければ楕円となる。

真横から見た図でさらに，平面の傾きを変化させてみよう。

放物線，双曲線はどのようにしたらできるだろうか。図4－63のように，平面を切り口が楕円となったところからさらに傾けていくと，しばらく楕円だが，その後円錐との交わりが1本の開いた線になる瞬間がある。そのとき，放物線になる。さらに傾けると今度は平面は上と下の2ヵ所で円錐と交わり，双曲線となる。

さて，それでは，放物線はどうして円に見えるのか。円錐の切り口として描かれた放物線の図をもう1度見てみよう。どこから見ると円に見えるのだろうか。おわかりになっただろう

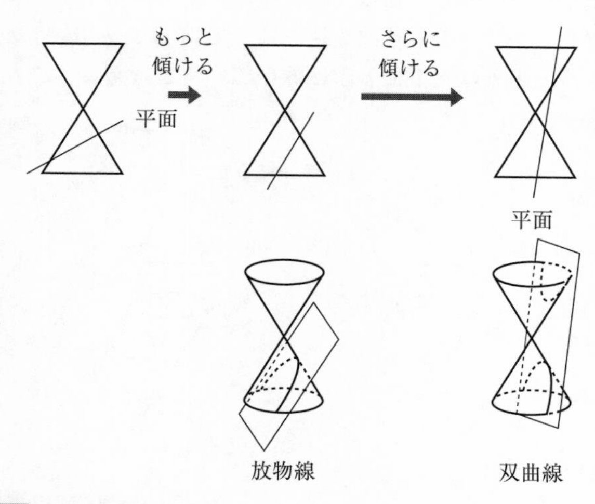

図 4-63　**切り口の変化**

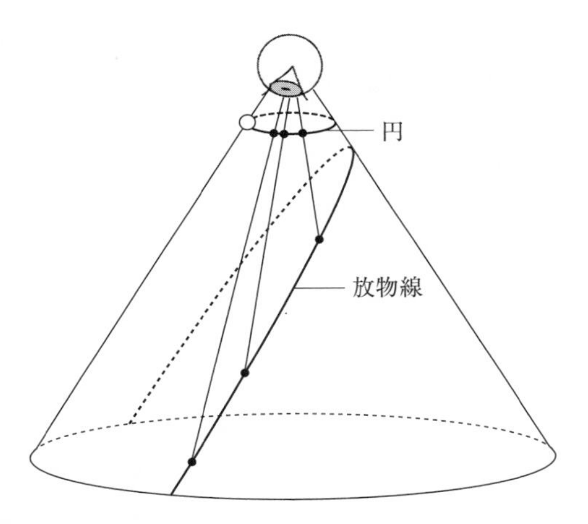

図 4-64　**放物線が円に見える?**

か。そうだ。その通り。図4－64のように円錐の頂点から見ると円に見えるのである。

視線を放物線に沿って動かすのと，視線を図の円に沿って動かすのはまったく同じ動きである。したがって放物線は円に見えるのである。1つだけ注意しよう。視線を放物線に沿って動かしたときに，1点だけ円の点で対応しない点がある。それは放物線上でどんどん無限に下がっていったときの極限で，図の円では白丸にしておいた。1点だけ除かれているといっても肉眼では区別がつかないだろう。あれ，この図はどこかで見たような気がする。そうである。これは先ほどの問で考えた図と同じである。問の視線の集合は円錐を作り，放物線Cはその円錐を平面$z=1$で切ったものであることを表している。

それでは，双曲線はなぜ円に見えるのか。話を簡単にするため，円錐をまっすぐ縦に切ってできる双曲線を考えよう。多分やはり頂点から見ると良いと思われる。双曲線のうち1本に沿って目を動かすとどのように見えるだろうか。円の一部である。その通り。半円である（図4－65）。

残念なことに双曲線のもう1つの部分を見る視線は，このもう片方の逆立ちしている円錐の方向なので，この半円の続きの半円は出てこない。困ってしまう。しかし，心配ない。人間の目ではなく，4.3.2の前後人の目で見れば，双曲線は完全な円（ただし，2つの白丸を除く）に見える（図4－66）。そう，もうおわかりになっただろうか。なぜ2つの円錐をくっつけたか。それは，円を見る前後人の視線を集めてきたからである。

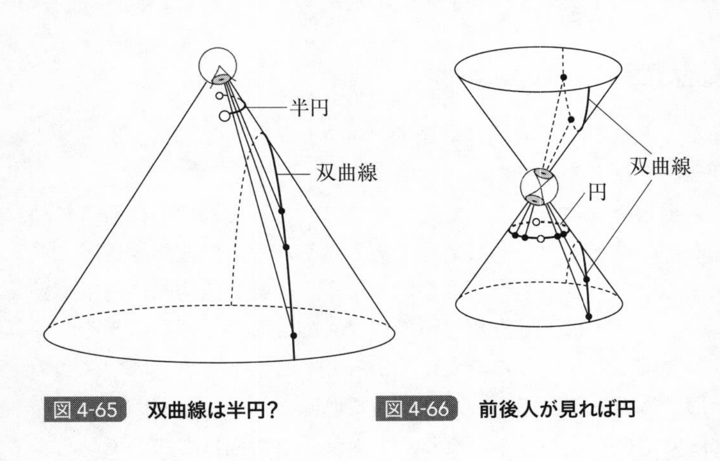

図 4-65　双曲線は半円？

図 4-66　前後人が見れば円

4．9　どんな2次曲線でもパスカルの定理が

前節で，どんな2次曲線も，すなわち，楕円も放物線も双曲線も，あるところから見ると円に見えるというお話をした。

それでは，そのことからひょっとしてどんな2次曲線も円のある種の性質をもっているかもしれないと想像される。一見，放物線や双曲線は円と全く違う形をしているのでそんなことはないという気もするが，実はどんな２次曲線でも円と同じある種の性質をもっているのである。例えばパスカルの定理はどんな２次曲線でも成立する。

パスカルの定理４（２次曲線・交点）

２次曲線に内接する六角形ABCDEFの向かい合った辺，ABとDEの交点をX，BCとEFの交点をY，CDとFAの交点をZとすると，X，Y，Zは，同一直線上にある。

例えば放物線を考える。パスカルの定理は図4－67になる。

なぜ，これが成立するのだろうか調べてみよう。まず図4－68のように放物線を，円錐を平面αで切ったものとみなす。

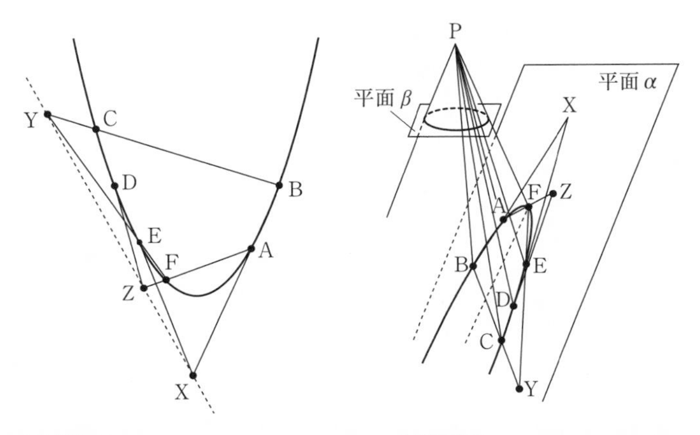

図4-67　放物線のパスカルの定理

図4-68　放物線を円錐曲線とみなす

そして，平面αの上にパスカルの定理の仮定を描く。すなわち六角形ABCDEFを描き，ABとDEの交点をX，BCとEFの交点をY，CDとFAの交点をZとする。証明したいことは，3点X，Y，Zが同一直線上にあることである。

そこで，円錐を水平な平面βで切る（図4－68)。そして図4－69のように円錐の頂点Pと点A，B，C，D，E，Fをそれぞれ結んでできる直線と，平面βの交点を，それぞれA′，B′，C′，D′，E′，F′とする。

そして，A′B′とD′E′の交点をX′，B′C′とE′F′の交点をY′，C′D′とF′A′の交点をZ′とする。

円錐の頂点Pから見ると，点A，B，C，D，E，Fも点A′，B′，C′，D′，E′，F′も，それぞれ同じ点として重なっ

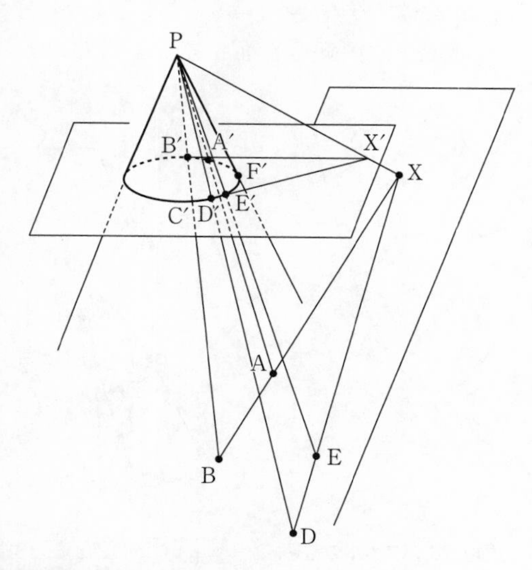

図 4-69　**対応する図を円に描く**

て見えることに注意しよう。

したがって，Pから見ると，例えば直線ABと直線A′B′は重なって見え，直線DEと直線D′E′は重なって見える。したがって，ABとDEの交点であるXとA′B′とD′E′の交点であるX′は重なって見える。言いかえると，P，X′，Xは同一直線上にある。同様に，P，Y′，Yは同一直線上にあり，P，Z′，Zは同一直線上にある。

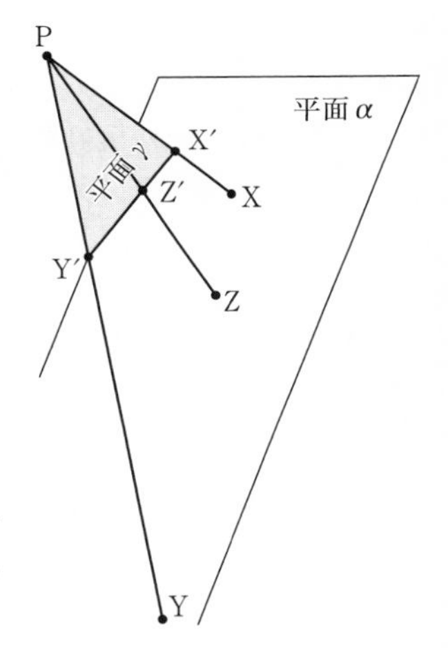

図 4-70　X, Y, Z は同一直線上

ところで私たちは4.7節で，円に対するパスカルの定理1を知った。それを用いると，X′，Y′，Z′は，同一直線上にあることがわかる。したがってP，X′，Y′，Z′は，同一平面上にある。その平面をγとしよう（図4－70）。

P，X′，Xは，同一直線上にあるので，Xは平面γ上にある。同様に，Y，Zも平面γ上にある。したがってX，Y，Zは，平面αと，平面γの両方の上にある。言いかえると，2つの平面α，γの交わりの直線上にある。これで放物線に対するパスカルの定理が証明された。

4．10 平行線がただ1本引ける？ ——非ユークリッド幾何入門

ユークリッド幾何，それは初等幾何ともよばれ，だいたい皆さんが中学校で勉強した幾何と思ってよい。中学校時代を思い

出してみよう。そうそう，基本的な定義と性質から出発して，論理を駆使してどこまでいろいろなことが言えるか議論した。難しくて，なかなか解けない問題もあった。ときには，たった１本の補助線を巧みに引くとたちまち証明できた。その瞬間が感激だった方も多いだろう。一方，そんなわざとらしい補助線が好きになれず，幾何が嫌いになった方も多いだろう。

二等辺三角形の定義は何だったろうか。思い出してみよう。

その通り，「２辺が等しい三角形」だった。

そして，その定義と三角形の合同条件などを用いて「二等辺三角形の２つの底角は等しい」という定理を得たのだった。

平面内の平行線の定義は何だったろう。

その通り,「どこまで行っても交わらない２直線」であった。

紀元前300年頃ギリシャの**ユークリッド**は，数学（特に幾何学と整数論）を美しい体系としてまとめあげ，『原論』という本にした。そこに描かれた幾何がユークリッド幾何である。ユークリッドから幾何学を学んでいたプトレマイオス王が，その数学的厳密さに悲鳴をあげて，ユークリッドに「幾何を勉強するのに，原論の道よりももっと短い道はないのか」と尋ねたところ，ユークリッドは「幾何学に王の道はありません」と答えたとされる。

ユークリッドの『原論』は，現在の学問のお手本である。中学校で習った幾何よりも厳密である。まず議論の最低限の前提として，これだけは絶対に成立するとみなそうという５つの命題から出発する。それらは**公理**とよばれる。説明のため，多少もとの公理と異なるが，現代的に言いかえたものを紹介しよう（図4－71)。

公理１は，２点が与えられたとき，２点を通る直線がただ１

つ存在するということである。

公理２は，与えられた線分はどちら側にも限りなく伸ばすことができるというものである。

公理３は与えられた点を中心とし，与えられた半径の円が描けるというものである。

公理４は，すべての直角は等しいというものである。

これらはすべて，ごく当たり前のものとして私たちが認めてもよさそうである。

そしてあと１つ，平行線の公理とよばれる公理５がある。公理５は，直線 l と，その上にない点Ｐが与えられたとき，Ｐを通り l に平行な直線がただ１本引けるというものである。

ユークリッドの『原論』では，公理１から公理４までを使って証明できる定理が最初に書かれ，公理５を使って証明する定理が後に書かれている。公理５は，公理１～４の単純さと明らかさに比べ，あまりすっきりしない公理である。そこでユークリッドの時代から，公理５はひょっとして余計な公理，すなわち，本当は公理１～４を用いて公理５は証明できるのではないかとずっと思われてきた。

ところで，公理５は私たちの学校数学でも使われていたのだが，どこで使ったか思い出してみていただきたい。

小学校のときに三角形の内角の和が180度であることを習っ

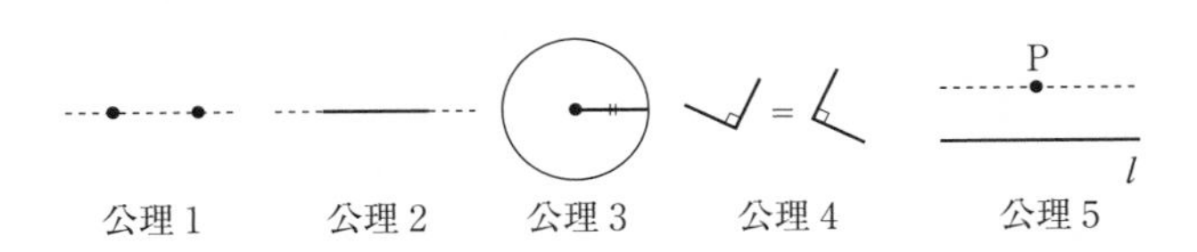

図 4-71　ユークリッドの公理１～５

たと思う。そのときは，紙とはさみを用意して多分，三角形を切り取って角度を集めると1直線になることを確かめるだけだったと思う。

しかし，その後，中学校のときにその事実を証明したと思う。覚えているだろうか。図4－72のような図が使われた。

平行線の公理5がほかの公理1～4から導けるのではないかという疑念は，19世紀までずっともち続けられていた。世の中，そういう問題を聞くと，自分が絶対証明してやるんだとその気になって一生をかける人たちがいるものだ。歴史を紐解くとおもしろい。そしてついに平行線の問題は解決するのだが，その結果は思いがけないものだった。

ガウス（1777－1855），**ロバチェフスキー**（1792－1856），**ボーヤイ**（1802－1860）によって独立に，平行線の公理はほかの4つの公理から導けないことが示されたのである。

「証明が不可能である」ことを示すには，**モデル**というものを作る。それは，本物の平面ではないのだが，点，直線，距離などという概念をもつおもちゃである。そのモデルでは公理1～4がみたされている。ところが公理5がみたされない。もし公理1～4を用いて論理的に公理5が証明できたら，モデルでも同じ論理で公理1～4を用いて公理5が示せるはずである。しかしモデルでは公理5が成立していない。したがって公理1～4を用いて論理的に公理5は証明できないのである。

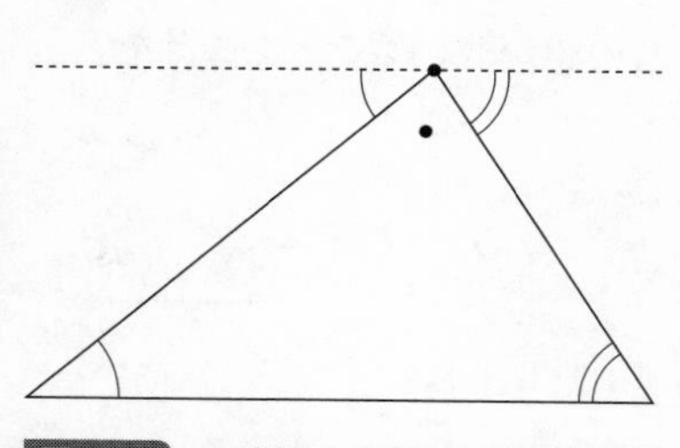

図4-72　三角形の内角の和は180度

このように，ユークリッ

ドの公理1～4をみたすが，公理5をみたさない幾何は，**非ユークリッド幾何**とよばれる。

4.11 非ユークリッド幾何のモデル

ここでは非ユークリッド幾何のわかりやすい例として，後に作られたポアンカレの円板モデルを紹介しよう。平面上の直線は，その上の2点間の最短距離を与える線である。このような性質をもつ曲線を**測地線**とよぶ。例えば球面上の2点を通る測地線は，決して直線ではない。まっすぐほかの地点に行くには地面を掘らなくてはならないからである。球面での測地線，すなわち2点を結ぶ最短線は，中心を通る平面で球面を切った円（大円）である（図4－73）。

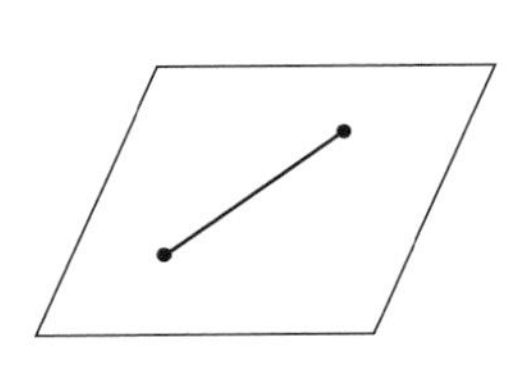

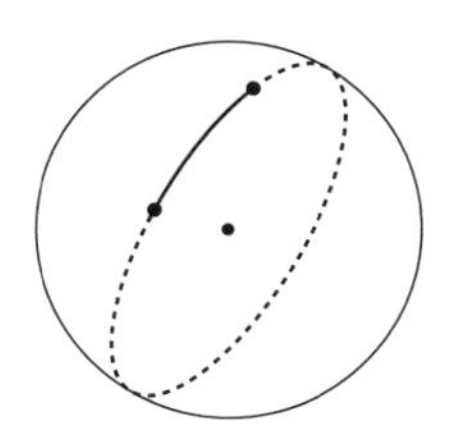

図4-73　測地線

ポアンカレの世界は，平面上の，原点を中心とする半径1の円Oの内部である（図4－74）。円の周は含まないことに注意しておこう。ポアンカレの世界の点をここでは**ニセ点**とよぼう。ポアンカレのモデルでは，ごく近い2点の距離Δsは，$(\Delta s)^2 = 4\dfrac{(\Delta x)^2 + (\Delta y)^2}{\{1-(x^2+y^2)\}^2}$という測り方をするが，この式の意味がわからなくてもいっこうに構わない。ポアンカレの世界では，最短距離を与える測地線は，（1）原点を通る直線，（2）単

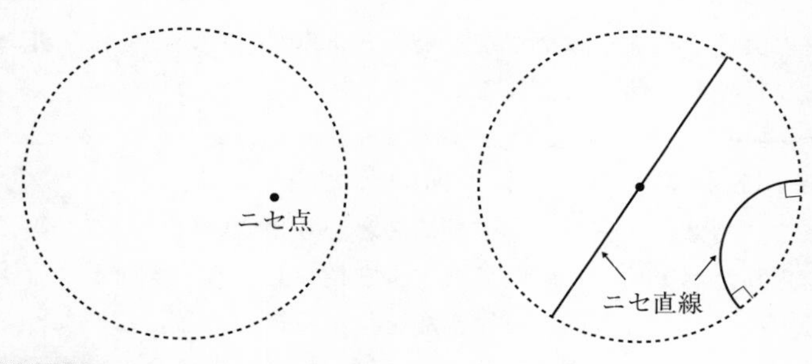

図 4-74　**ニセ点，ニセ直線**

位円Oの円周と直角に交わる円弧，の2つのタイプとなることが知られている。これらをここでは**ニセ直線**とよぼう。

(2) のタイプのニセ直線を描くにはどうすればよいか。それには懐かしい中学，高校の幾何がちょっと必要である。まず，次の方べきの定理を用いる。

命題1（方べきの定理）　点Oと円Cが与えられているとき，Oを通る直線が円Cと2交点P，P′で交わるとき，長さの積OP・OP′は常に一定である。

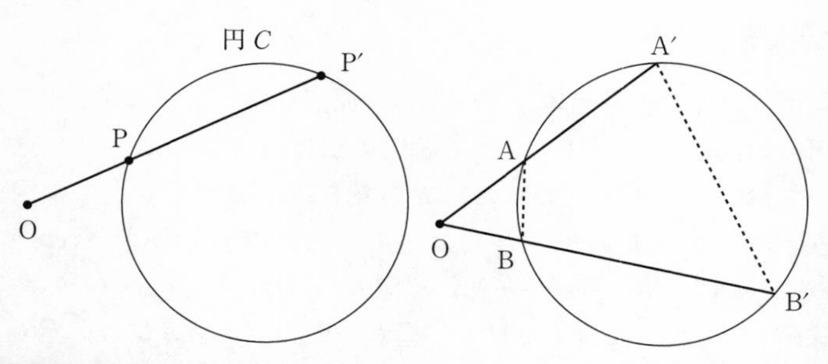

図 4-75　**方べきの定理**

これを示すには，図4－75において，$OA \cdot OA' = OB \cdot OB'$を示せば良い。

どうやら三角形OABと三角形OB′A′は相似のようである。なぜだろうか。もちろん∠AOBと∠B′OA′は共通である。したがって，後は，∠OABと∠OB′A′が等しいことを示せば良い。四角形ABB′A′が円に内接していることがポイントである。そうだ。円に内接する四角形では，向かい合った角の和が180度だった（4.7節）。したがって，∠A′AB＋∠BB′A′＝180度。一方，∠OAB＋∠A′AB＝∠OAA′＝180度。これらの2つの式で，∠A′ABは共通なので，∠OAB＝∠BB′A′＝∠OB′A′を得る。

次に，点を円に関して反転してできる反点という言葉が必要になってくる。

Oを，点Oを中心とする，半径1の円とする。半直線OP上の点P′で，$OP \cdot OP' = 1$をみたすものを，Pを円Oに関して**反転**してできる点，あるいは，円Oに関するPの**反点**という。

次の面白い命題がある。

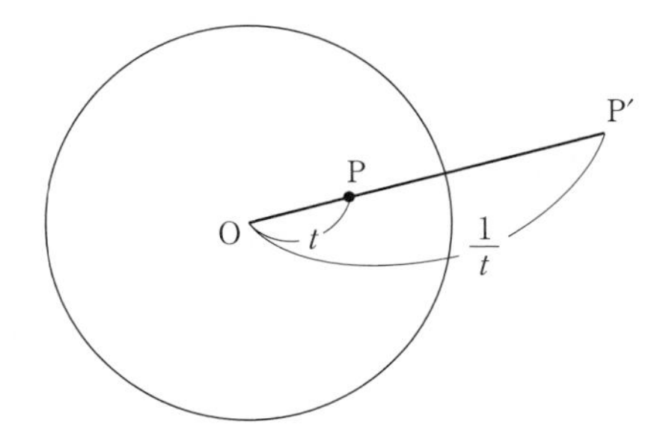

図4-76　**反点**

命題2（直角に交わる円） 円Oを，点Oを中心とする，半径1の円とする。円Oと交わる，点O′を中心とする円O′に対して，次の3つの条件は同値である，すなわち，互いに必要十分である。

(a) 円Oと円O′が直角に交わる。

(b) Oを始点とする**ある**半直線と円O′の2つの交点をP，P′とすると，P′は，円Oに関するPの反点である。すなわちOP・OP′＝1。

(c) Oを始点とする**任意の**半直線で，円O′と2点で交わるものに対して，2交点P，P′は，円Oに関して互いに反点である，すなわちOP・OP′＝1をみたす。

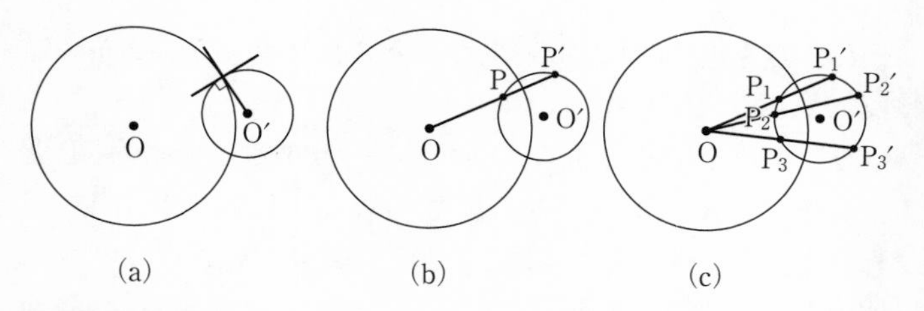

図 4-77 **直角に交わる円**

(b) と (c) が同値なのは，命題1からわかる。円O′と2点で交わるすべての半直線に対して，2交点P，P′に対するOP・OP′は一定だからである。

(a) と (b)（＝ (c)）が同値であることを示すには，特別な半直線に対してOP・OP′の意味を考えてみれば良い。それには2円の中心を通る半直線が適当だろう。図4－78で，2つの円の中心間距離をdとし，円O′の半径をrとすると，OP・OP′$=(d-r)\cdot(d+r)=d^2-r^2$である。したがって，この値

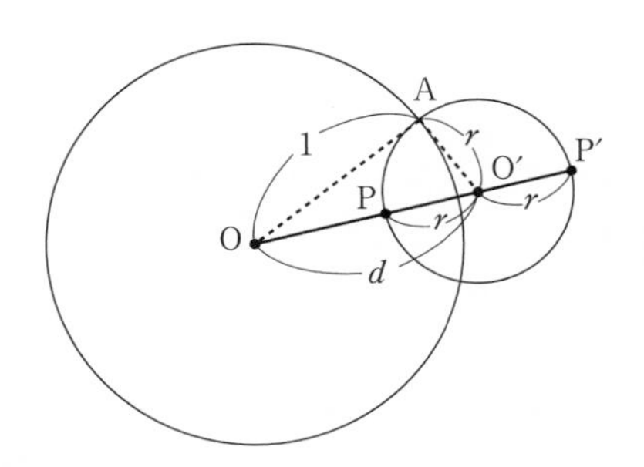

図 4-78　**特別な半直線**

が1に等しいという（c）の条件は，$d^2 - r^2 = 1$，言いかえると，$1^2 + r^2 = d^2$，これは，２円の交点の１つをAとしたときに，三角形OO′Aにおいて三平方の定理が成立する，すなわち∠OAO′が直角であることと一致する。したがって，この条件は（a）の条件と同値である。

命題２より，特に，円の内部の点Pの円Oに関する反点P′を考えると，P，P′を通るどんな円O′もOと直角に交わることがわかる（図4－79）。

さて，ユークリッドの公理１から５までに対して，公理の文

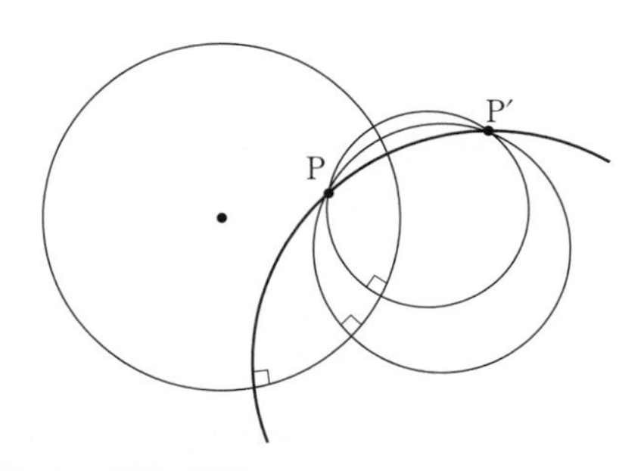

図 4-79　**直角に交わる円の描き方**

章中の点と直線を，ニセ点とニセ直線に変えたら成立するかどうか調べてみよう。

例えば公理１，すなわち「２つのニセ点を通るニセ直線はただ１つ存在する」は，どうだろうか。

公理１はみたされる。理由を考えてみよう。２つのニセ点Ａ，Ｂがあったとする。すなわち，単位円の内部の点Ａ，Ｂがあったとする（図4－80)。直線ABが原点を通るならば全く問題ない。(a）のように，(1）のタイプのニセ直線が２点を通る。もし，そうでなかったとしよう。このとき，円Oに関する，点Ａの反点A′，すなわち，半直線OA上の点A′で，OA・OA′＝1をみたす点A′を考えよう。このとき，命題２の注意より，２点Ａ，A′を通るどんな円も円Oと直角に交わる。したがって，(b）のように２点を通る円O′の半径を調整すると，Bを通るようにできる。

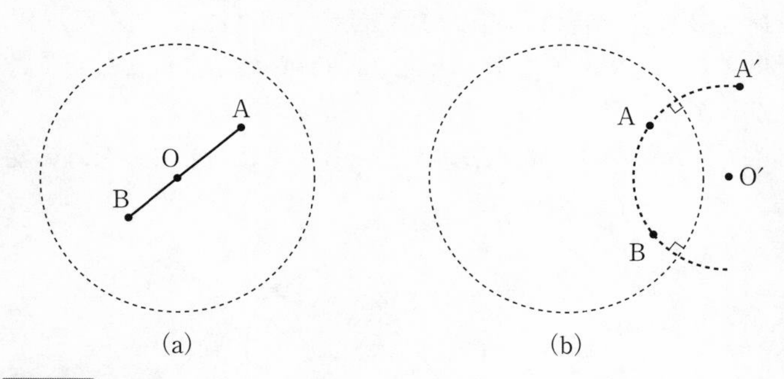

図 4-80　**公理１**

公理２はどうだろう。成り立っていないじゃないかと感じる方も多いだろう。円の中だけの世界なのだから無限になんか決して伸びないじゃないか。ところが一見有限に見える円の中の

世界が，実は無限なのである。ポイントは距離の測り方，

$$(\Delta s)^2 = 4\frac{(\Delta x)^2 + (\Delta y)^2}{\{1-(x^2+y^2)\}^2}$$ にある。

この公式の4という数字は本質的ではないので無視して考えよう。式中の $(\Delta x)^2 + (\Delta y)^2$ は平面の普通の距離の2乗である。原点に近い (x, y) では，分母はほとんど1なので普通の距離の測り方と一致する。円周に近い (x, y) では，分母は0に近いので普通の距離よりもかなり大きな値となる。ポアンカレのモデルでは，円周に近いところでは，一見短く見えるような長さでもポアンカレの距離で測った距離は長い。したがってポアンカレの世界の住民が円周にたどり着くには無限の時間が必要なのである。

2.5節，図2－24のエッシャーの絵は，ポアンカレの世界の図である。図のすべての魚たちは，ポアンカレの距離の世界で合同である。円周に到着するためには無限個の魚をつなげる必要があることが想像できるだろう。

これらのことをきちんと数学的に議論することもできるが，このくらいにしておこう。このようにしてポアンカレのモデルは公理１～４をみたすことがわかる。

では公理５はどうだろうか。公理５はみたされない。図4－81のニセ直線 m やニセ直線 n のように，ニセ点Pを通り，ニセ直線 l に平行，すなわちどこまで行っても l と交わらないニ

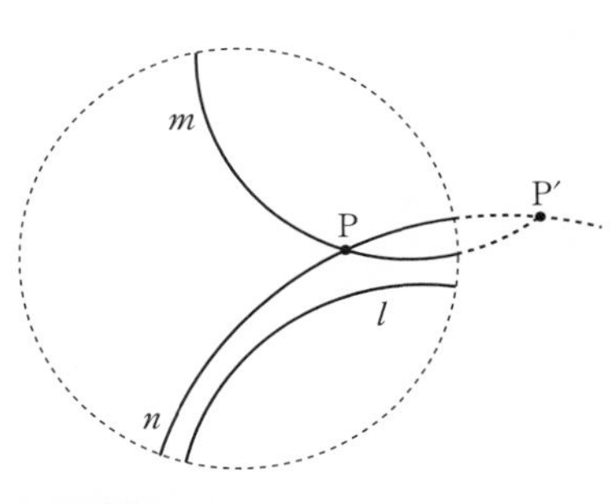

図4-81　公理5

セ直線がたくさん引けるのである。

ポアンカレのモデルで，ニセ点とニセ直線に対し公理１～４が成立し，公理５が成立しないことがわかった。そのとき，なぜ，ニセの世界ではなく，ユークリッド幾何の世界で，公理１～４から公理５が証明できないのだろう。

背理法を用いて考えてみる。もし，ユークリッド幾何で，公理１～４を用いて公理５が証明できたとしよう。そのときの証明の文章が図４－82の（a）だとする。その文章では，公理１～４が使われている。例えば公理１は，「２つの点を通る直線がただ１つ存在する」というものだった。それが文章の途中に入っているだろう。そして多分，最後は「ゆえに公理５が成立する」という文章でその証明は終わっているだろう。

そこで，今，（a）の証明文の点，直線をすべてニセ点，ニセ直線に置き換えてみる。そのようにしてできた文章を（b）と

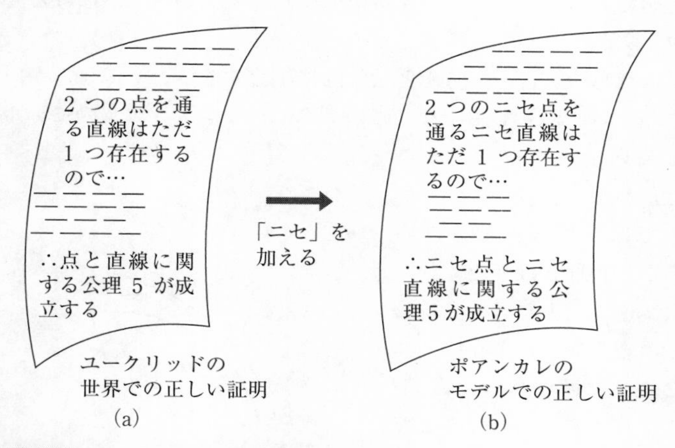

図 4-82　**ニセの世界での本当の証明**

しよう。果たして文章（b）は正しいだろうか。（b）で用いられている公理1～4は，（a）での点，直線をすべてニセ点，ニセ直線に置き換えたもので，私たちは，公理1～4はすべて，ニセ点，ニセ直線に対しても正しいことを知っている。また，用いられている論理は，私たちが通常用いている論理なのでもちろん正しい。したがって証明（b）は正しいことになる。したがって，ポアンカレのニセ点，ニセ直線のモデルでも公理5は正しくなければならない。ところがポアンカレのモデルでは公理5は正しくないのである。ここに矛盾が生じる。したがって，公理1～4を用いて公理5が証明できるという仮定が間違っていたのである。

ところで，ポアンカレのモデルで三角形の内角の和はどうなっているのだろう。ポアンカレの世界では，ニセ直線のなす角は，通常の2曲線のなす角（＝2接線のなす角）と一致することが知られている（図4－83）。

もし平行線の公理が成り立てば，中学校での議論から，三角形の内角の和は180度であるはずである。ところが，ポアンカレのモデルでは，平行線の公理が成り立たないので内角の和は

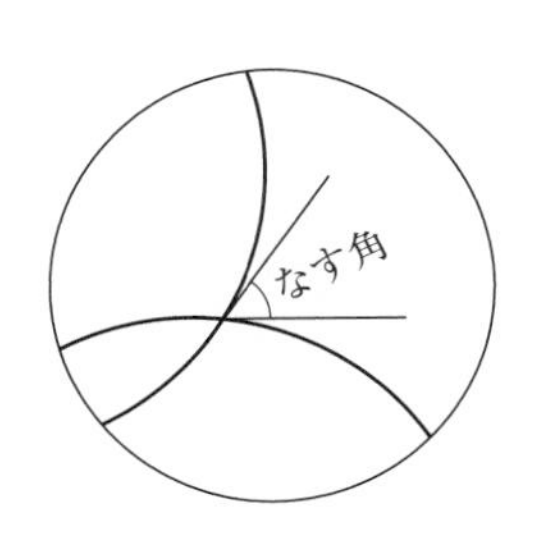

図4-83　2曲線のなす角

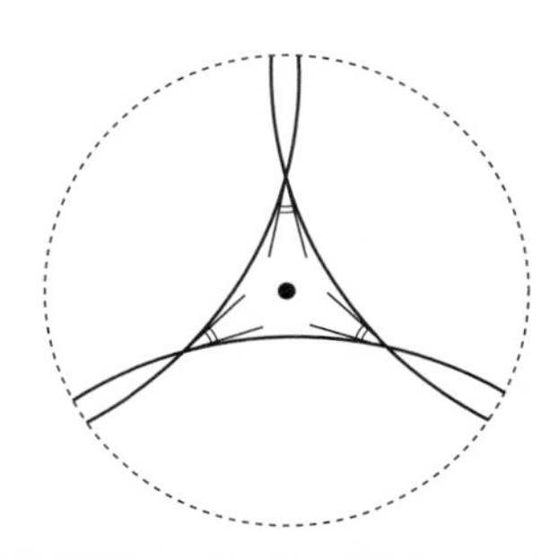

図4-84　三角形の内角の和

180度ではないかもしれない。実際，図4－84の三角形を考えてみよう。

この三角形では内角の和は180度未満のようである。ポアンカレのモデルでは，３本のニセ直線でできるどんな三角形の内角の和も180度未満であることが知られている。

ポアンカレのモデルは，現実離れしたおもちゃで，こんなのではちゃち過ぎる。中学，高校での普通の幾何は，合同とかいう考え方も含んでいたし，もっと豊かだったのではないかという反論が出て来そうな気がする。ところが大丈夫なのである。このモデルは十分豊富である。このモデルの幾何においても合同に対応する概念が考えられることが知られている。

非ユークリッド幾何は，**リーマン**（1826－1866）らの努力によってさらに発展し，後に**アインシュタイン**（1879－1955）が，一般相対性理論（重力があると世界が曲がってしまうという理論）の基礎として用いた。

第５章

１個，２個，３個，…，無限個，もっと無限個？

５．１　有理数と無理数，どちらが多い？

――無限の個数どうしの大小を比較することができるだろうか？

「無限っていうのは，はかりしれないものだと思う。はかりしれない届かないものなのだから，みんな同じだ。そんなものに大小があるわけがない」

確かにもっともな説得力のある意見だが，果たしてそれは本当なのだろうか。

この章では，無限の個数どうしを比較するにはどうしたら良いかを考える。

特に，「有理数と無理数とはどちらが多いか」を調べることが主な目標である。ところで有理数とか無理数というのは何だったろうか。

——皆さん有理数という言葉を覚えていますか？　ちょっと地味で，練習問題にもめったに出てこないからほとんど印象に残っていないかもしれませんね。

「あっ，思い出しました。それは分数のことです」

——本当ですか？　それでは$\sqrt{2}$は有理数ですか？

「えっ，えーーと，違います」

——でも分数で表せるのではありませんか？

ここまで来ると大概の学生はきょとんとしてしまう。そこでおもむろに黒板に書く。

$$\sqrt{2}=\frac{\sqrt{2}}{1}=\frac{3\sqrt{2}}{3}$$

有理数とは，正確には，$\frac{q}{p}$，ただしp，qは整数，$p \neq 0$，という形の数のことである。正の有理数は，皆さんが小学校のときに習った分数と言っても良い。

それでは無理数というのは何だろうか。

数直線上の点の座標，言いかえると，小数で表される数は，**実数**という。**無理数**とは，実数の中で有理数でないものである。

——はたしてそんなものがあるのでしょうか。

「$\sqrt{2}$とか$\pi = 3.1415\cdots$などが無理数だと聞いています」

5．2　無理数の発見

今となっては無理数の存在は当たり前なのであるが，昔は無理数の存在は知られていなかった。有理数は，英語でrational numberとよばれる。ratioというのはもともと「比」を表す言葉で，rational numberというのは，整数の「比」で表される数という意味である。したがってrational numberは「有比数」と訳したほうが良いという考えもある。

無理数を最初に発見したのはギリシャの**ピタゴラス**（BC570年頃生まれ）のグループである。ピタゴラスは三平方の定理の発見者と言われている。三平方の定理を思い出そう。それは直角三角形の3辺の間の関係を表すものであった（図5-1）。

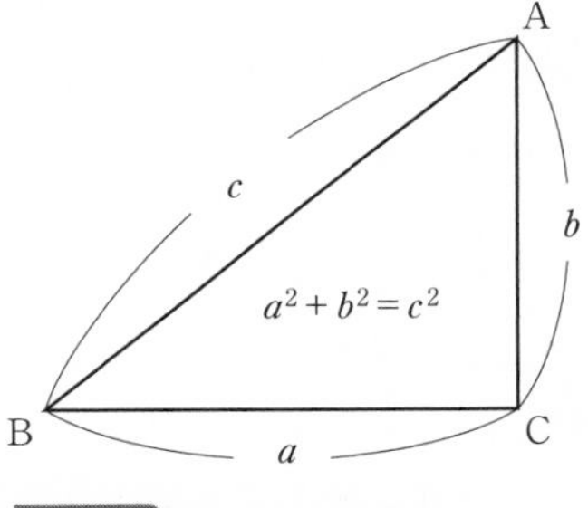

図5-1　**三平方の定理**

ピタゴラスは純粋な数学者だと思われがちだが，当時ピタゴラスのグループはどちらかというと宗教団体のようなものだった。ピタゴラス学派というよりピタゴラス教団だった。彼らは，「万物の根源は数である」と信じ，数の規則性，神秘をたたえた。音楽も大切な要素であり，長さが $\frac{1}{2}$ の弦の出す音は，1オクターブ高く，$\frac{2}{3}$ ならば5度高いという事実を発見した。

彼らは当初あらゆる数が自然数の比，すなわち有理数で表せると信じていた。線分の長さの比が自然数の比で表せるはずだというのは，彼らにとってごく自然なことだっただろう。ピタゴラス学派の人たちは点を，小さいが大きさをもっている球のように考えた。線分には，同じ大きさの点（球）が隙間なく並んでいて，その点の個数は有限な自然数である。2つの線分の長さの比は，そこに含まれる点（球）の個数の比である。したがって自然数の比となるのである。

しかし，彼らの信念に反して，ついに有理数でない数，すなわち無理数が発見されることになるのである。ピタゴラス・グループが1辺の長さが1の正方形の対角線の長さ$\sqrt{2}$が無理数であることを発見した後，どうしたかについては，いろいろ伝説がある。ピタゴラス教団にとって自然数の比で表されない数が存在することはピタゴラスの教えに反する，恐ろしい，受け入れがたい事実だった。そこでそのことは秘密にし，外部に漏らさないようにした。ところが，それを外部に漏らした者が出てきた。ピタゴラスの弟子ヒッパソスである。一説によると，教団の美しい理論を汚れた事実で台なしにした彼を罰するため，同僚たちが彼を船に乗せ，船から落として溺死させたという。

5.3 背理法は知っている——$\sqrt{2}$ は無理数

さあ，それでは，ピタゴラス学派の教義を台なしにしてしまった，$\sqrt{2}$ が無理数であるという危険な事実の証明を鑑賞しよう。

定理

$\sqrt{2}$ は無理数である。

（証明）証明には**背理法**を用いる。背理法とは，もしそれが成り立たないとして矛盾を導き，それを証明する方法である。

もし，$\sqrt{2}$ が有理数だと仮定すると，$\sqrt{2} = \frac{q}{p}$（p，qは自然数）と表されるはずである。右辺の分数を約分して，p，qは1以外の公約数をもたない（このことをp，qは互いに素という）として良い。両辺を２乗すると，$2 = \frac{q^2}{p^2}$。したがって，

(1) $q^2 = 2p^2$

右辺は2の倍数なので左辺も2の倍数であるはず。したがってqは2の倍数。そこで$q = 2q'$（q' は自然数）と表されるはず

である。これを（1）式に代入すると，$(2q')^2 = 2p^2$，したがって $4q'^2 = 2p^2$。したがって

（2）$2q'^2 = p^2$

ここで（1）に対する議論と同様な議論をもう1度繰り返す。左辺は2の倍数なので右辺も2の倍数。したがって p は2の倍数。以上より，q も p も2の倍数であることがわかった。これは，p，q が互いに素であることに矛盾する。

したがって $\sqrt{2}$ は有理数ではない，すなわち無理数である。

5.4 背理法は知っている——素数は無限個

せっかく背理法を勉強したのだから，もう少し使い方を練習してみよう。

定理

素数は無限個ある。

（証明）背理法を用いるので，結論を否定して，もし，素数が有限個だったとする。それらを小さい順に p_1，p_2，…，p_n とする。素数が全部で n 個しかないと仮定するのである。例えば $p_1 = 2$，$p_2 = 3$ である。どんな自然数も素数の積に分解できる。言いかえると，1より大きいどんな自然数に対してもそれを割り切る素数が存在する。したがって，もし，これらの素数のどれをとってきても割り切れない自然数 k が作れてしまえば矛盾である。そんな自然数を作ることができるだろうか。少し考えてみていただきたい。1つヒントを差し上げよう。p_1，p_2，…，p_n のどれでも割り切れる数 m を作るのは簡単である。

そう，その通りである。$m = p_1 p_2 \cdots p_n$ とすればよい。

ここまで来たらあと一息だ。おわかりになっただろうか。その通り。$k = m + 1$とすれば，mはどんな素数p_iでも割り切れるので，kはどんな素数p_iで割っても1余るのである。

kは2以上の自然数で，どんな素数でも割り切れないことがわかった。これで矛盾が導かれた。なぜ矛盾が起こったかというと，間違ったことを仮定したからである。したがって素数は無限個ある。

5．5　無理数と有理数，小数に直すと？

無理数と有理数の違いは一体何なのだろうか。ここでは，小数で表すと，有理数，無理数はどのように見えてくるのか調べてみよう。

まず有理数を小数で表してみよう。

例えば，$\frac{24}{5}$を小数に直してみると結果は4.8となる。

途中で割り切れてしまい，小数が途中で止まってしまった。このような小数を**有限小数**という。

それでは次に$\frac{9}{7}$を小数に直してみよう。やはり割り算をしてみよう（図5－2）。

今度は，1.285714 285714 285714 285714…となり，あるところから先は同じパターン285714を繰り返す小数になった。このような小数を**循環小数**という。この数は，繰り返しの最初の数字と最後の数字の上に点をつけて，$1.\dot{2}8571\dot{4}$と表すことができる。

有理数を小数に直すとき，言いかえると自然数どうしの割り算をやったとき，必ず有限小数か循環小数になる。それはなぜか。

今，考えた$\frac{9}{7}$を例に考えてみよう。縦書きの割り算をどんどんどんやっていこう。そして余りに着目する。順番に見ていくと余りは2，6，4，5，1，3，2，6，…。さあどこで循環小数だっていうことがわかっただろうか。そう，その通り。余りが2となった瞬間である。

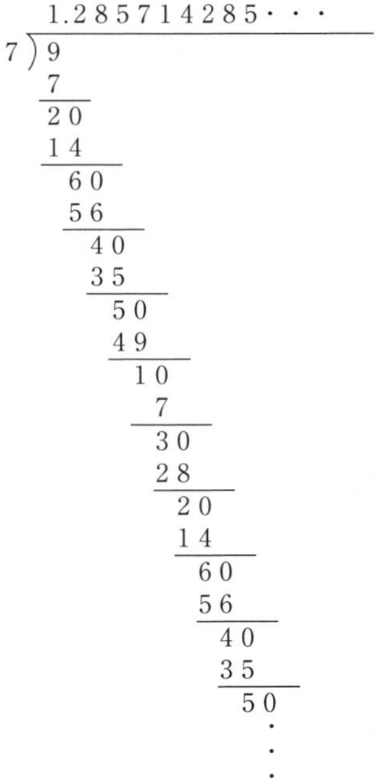

```
      1.285714285・・・
  7 ) 9
      7
      20
      14
       60
       56
        40
        35
         50
         49
          10
           7
          30
          28
           20
           14
            60
            56
             40
             35
              50
               ・
               ・
               ・
```

図5-2　9÷7

そろそろ有限小数か循環小数になる理由がわかった方も多いだろう。前にどこかで出た余りと同じ余りが出てきたら，その瞬間に繰り返すことがわかるのだ。では，なぜ同じ余りが出てくるか。この場合，余りになれる数は何通りだろう。7で割る割り算なので，0，1，2，3，…，6の７通りである。そこで７回割り算をしてみる。もし，７回のうちいつか余り0が出てきたら，それは有限小数となる。もし７回のうち１度も余り0が出なかったら，余りになれるのは，1，2，3，…，6の６種類だけだから，これらの６種類から７回余りとして出てくると，必ず同じ余りがどこかで出てくるのである。

だから安心して良いのだ。例えば

$$\frac{734917349871928374103}{523498285028093493872}$$

などという適当に書いた分数を考えても，多くとも

523498285028093493872回計算すれば必ず途中で終わるか，循環するのである。

今まで有理数は有限小数か循環小数となることを示してきたが，その逆も言える。すなわち，

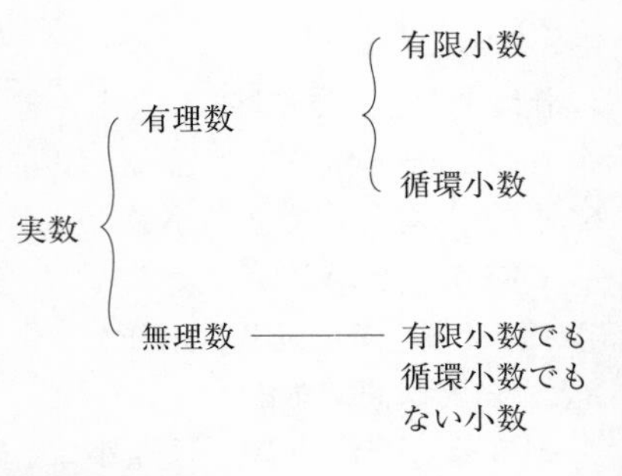

図 5-3 実数の分類

定理

実数が有理数になるためには，小数に直して有限小数か循環小数になることが必要十分である。

今度は逆を示そう。すなわち有限小数，循環小数は有理数であることを示そう。例を考えれば十分だろう。

まず，有限小数を考える。

例えば，$3=\dfrac{3}{1}$，$3.24=\dfrac{324}{100}=\dfrac{81}{25}$となる。有限小数が分数で表されるのは明らかだろう。

次に循環小数はどうだろう。

$5.\dot{2}3\dot{4}=5.234\,234\,234\,234\,234\,234\cdots$はどうだろうか。

$x=5.\dot{2}3\dot{4}=5.234\,234\,234\,234\,234\,234\cdots$とおく。3桁ずつの繰り返しなので$x$を3桁ずらす。そのために両辺に1000を掛ける。そしてそれからもとの式を引く。すなわち，

$$
\begin{array}{rrl}
 & 1000x = & 5234.234\,234\,234\,234\,234\cdots \\
-) & x = & 5.234\,234\,234\,234\,234\cdots \\
\hline
\end{array}
$$

これより，$999x = 5229$。したがって$x = \dfrac{5229}{999} = \dfrac{581}{111}$となる。

今まで考えてきた実数の分類を表にまとめてみよう（図5-3）。

5．6　無限を数える

個数が等しいとはどういうことだろうか。例えば，次の２つの集合A，Bの個数は等しいだろうか？

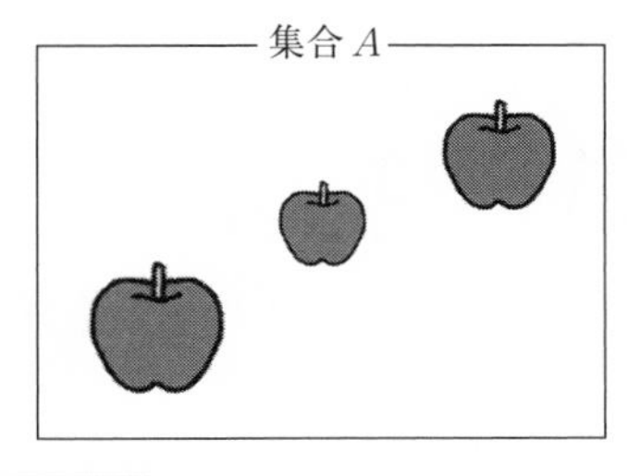

図 5-4　りんごとみかん

何を馬鹿なことを聞くんだろう。そう，りんごが1，2，3で３個。みかんが1，2，3で３個。２つの集合の個数はともに３個なので，もちろん個数は等しい。

その通りである。私たちは数というものを知っている。したがって数を使えば個数を比較することができる。

私たちは幼い頃，数を学ぶ。1，2，3，4，…と誰でも数えられるので，数の存在を当たり前のように思っているが，必ずしもそうではない。３種類の数しかない種族のことを聞いたことがある。彼らの最初の２つの数はもちろん「1」と「2」である。残りのあと１つは，どんな数か想像していただきたい。あと１つの数字，それは「たくさん」というものである。1，2

と，それより多かったらすべてたくさんなのである。

ここで，私たちがもし，数を知らなかったと仮定してみよう。何かの拍子に数を忘れてしまったとしてもよい。それでも２つの集合の個数が等しいかどうか判断できるだろうか。

なぜ，そんなことを考えるのか。そう考えることによって個数が等しいことの本質を見ぬくことができるかもしれないからである。

図5－4で集合Aのりんごは斜めに並んでいる。集合Bのみかんは上下上と並んでいる。りんごは大きさがばらばらである。みかんは粒がそろっている。どうやら個数というのはそういうものと無関係のようだ。一体個数とは何なのだろうか。

さあ，個数が等しいかどうか判定する方法はうまく見つかっただろうか。そう，その通りである。りんごとみかんのカップルを作れば良い。りんごとみかんで過不足なくうまくカップルが作れれば同じ個数というわけだ（図5－5）。

図5-5　りんごとみかんのカップル

りんごとみかんを必ずしも横に並べる必要はなく，りんごとみかんを線で結んでも良い（図5－6）。

このように，集合Aの要素と集合Bの要素を過不足なく手をつながせカップルにすること，あるいは集合Aと集合Bの要素

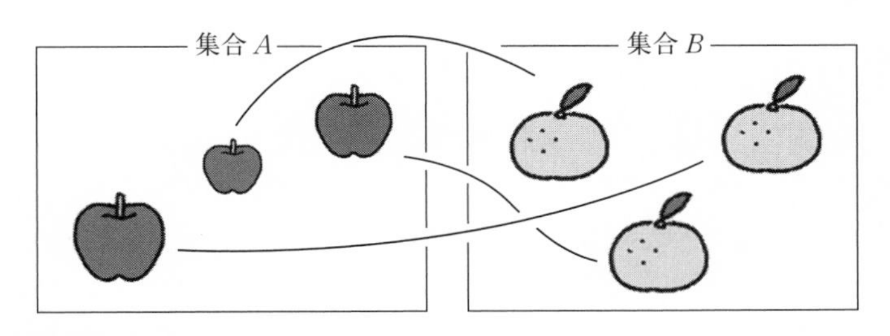

図 5-6　**線で結ぶ**

を1つずつ線で結び，どのAの要素もただ1つのBの要素と線で結ばれ，どのBの要素もただ1つのAの要素と線で結ばれるようにすることを，AとBの間に**1対1対応**をつけるという。

1対1対応という言葉を用いると個数が等しいということは次のように表現できる。

定義

集合Aと集合Bの**個数が等しい**とは，うまく規則を定めると，集合Aの要素と集合Bの要素の間に1対1対応がつくことである。

数学の専門用語では，個数が等しいとは言わず，「集合Aと集合Bは**濃度**が等しい」，「集合Aと集合Bは**基数**が等しい」，「集合Aと集合Bは**対等**である」などというのだが，わかりにくいので，ここでは「個数が等しい」という言葉を用いることにする。

個数が等しいというのをこのように定義したら一体世界はどのように見えてくるか，調べてみよう。少し練習してみよう。

問 1 自然数1，2，3，…の個数と偶数2，4，6，…の個数は等しいか。

自然数の中で，偶数は飛び飛びにあるのだから偶数の個数は自然数の個数の半分くらいだと考えるのが自然だが，果たしてそうだろうか。もう1度私たちの，個数が等しいということの定義を思い返してみよう。集合Aと集合Bの個数が等しいとは，うまく規則を定めると，集合Aの要素と集合Bの要素の間に1対1対応がつくことである。この定義にもとづいてきちんと考えてみよう。不思議なことに2つの集合の個数は等しくなるのである。どんな規則を定めると1対1対応するだろうか。ちょっと考えると，図のように規則を定めれば良いことがわかるだろう。

自然数1に対して偶数2を，自然数2に対して偶数4を，自然数3に対して偶数6を，…。驚くべきことに，自然数と偶数は，自然数nに対して偶数$2n$を対応させるという簡単な規則で1対1対応がつくのである。**ガリレオ・ガリレイ**（1564－1642）は，これと類似の例を考え，無限集合に個数という考えを当てはめると，こんな風に，自然数の個数とその一部分であ

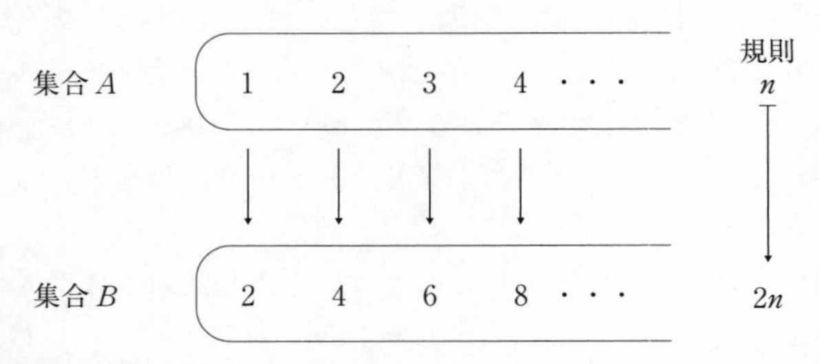

図 5-7 **自然数と偶数**

る偶数の個数が一致してしまう。全体と部分が等しい，そんな変なことが起きてしまう。だから無限を数えたりしてはいけないのだと考えた。彼は，神の世界に属する無限に，有限なる人間が踏み込んではいけないのだと考えた。もう少し練習しよう。ガリレオ・ガリレイが実際に考えたのは次の問2の例だ。

問2　自然数の集合Aと集合$B=\{1, 4, 9, 16, \cdots\}$の個数は等しいか。

少し慣れていただいただろうか。その通り。今度は対応$n \mapsto n^2$で1対1対応がつく。この例はもっと衝撃的である。集合$B=\{1, 4, 9, 16, \cdots\}$が自然数の集合の中で占める割合はほとんどゼロである。なぜならば1からn^2までの集合Aの要素，1，2，3，…，n^2の個数はもちろんn^2個であるが，1からn^2までの集合Bの要素は1^2，2^2，3^2，…，n^2のn個である。したがって1からn^2までの中で，集合Aのうち集合Bの占める割合は$\frac{n}{n^2}=\frac{1}{n}$である。$n$が大きくなるとこの割合はゼロに近づくのである。全体と，その一部でしかも割合が0パーセントであるものの個数が等しいなどということは明らかにおかしい。

ガリレオ・ガリレイはせっかくここまで深く考えたのだが，彼の結論は，無限に踏み込んではいけないということだった。彼はこれ以上考えを推し進めることはなかった。

「個数が等しい」ことの定義にもとづいて，勇気をもって議論を推し進めたのが**ゲオルク・カントール**（1845－1918）である。彼は無限について深い洞察をし，現代集合論の基礎を築いた。

今度はちょっと種類が違う問題を考えよう。その前に区間についての用語を確認しておこう。a，bを実数とするとき，開

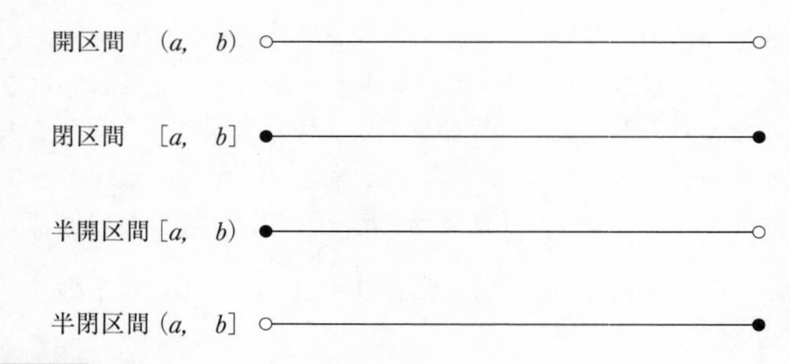

図 5-8 **区間**

区間 (a, b) とは，$a < x < b$をみたすxの集合である。閉区間 $[a, b]$ とは，$a \leqq x \leqq b$をみたすxの集合である。あと，ここでは使わないが，半開区間というのもある。図5－8に示しておこう。ただし，区間の図の端点で，黒丸「●」は，その点が含まれること，白丸「○」は，その点が含まれないことを示す。

問 3 閉区間 $[0, 1]$ に属する点の個数と閉区間 $[0, 2]$ に属する点の個数は等しいか。

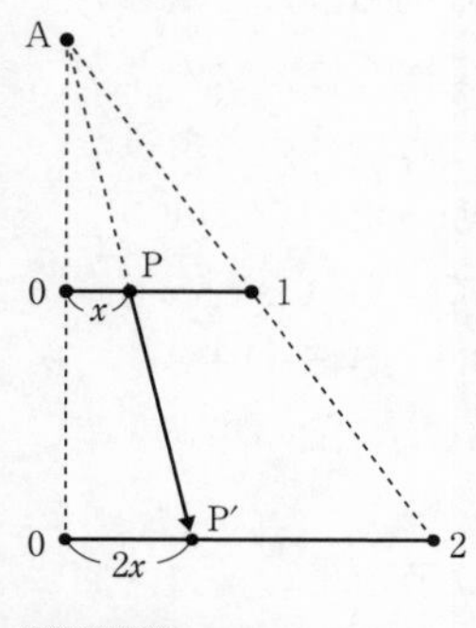

図 5-9 **図による対応**

おわかりだろうか。そう，問1と似ている。同じ対応 $x \mapsto 2x$ で1対1対応がつく。この対応は式ではなく，図で考えることができる。図5－9のように線分 $[0, 1]$ と線分 $[0, 2]$ を平行に並べ，図の位置に点Aを取る。中段の線分 $[0, 1]$ の点Pに対し，直線APと下段の線分 $[0, 2]$ との交点P′を対応させれば良い。

それでは次の問題はどうだろうか。

問 4　開区間（0, 1）に属する点の個数と数直線に属する点の個数は等しいか。

これはちょっと難しいかもしれない。長さが有限のものと無限の長さのものを対応させる。そんなことができるだろうか。待てよ。確か定義域が有限区間だけど値はプラスの方向にもマイナスの方向にもいくらでも無限に近づく関数を昔習ったような気がする。そうだ。$y = \tan x$だ。グラフを思い出そう。定義域は開区間（$-90°$，$+90°$）で値域は実数全体だった。したがって，対応$x \mapsto \tan x$という対応で，開区間（$-90°$，$+90°$）は数直線と，1対1対応がつく。開区間を（0, 1）にするにはちょっと関数を変えて，対応$x \mapsto \tan(180° \times (x - \frac{1}{2}))$とすれば良い（図5-10）。

問3と同様に，この場合も図形的に考えることもできる。問3のままだとせいぜい有限倍の長さにしかならない。どうすれば良いか。区間を曲げれば良い。どのように曲げるか。ちょっ

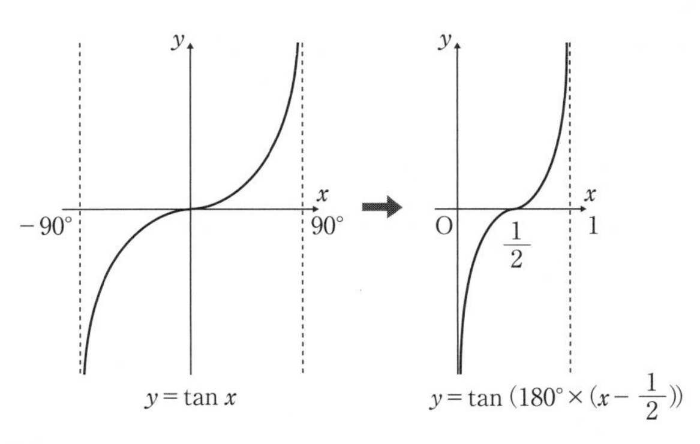

図5-10　**タンジェントのグラフ**

と考えていただきたい。例えば図5－11のように考えれば良い。

この調子で進むとすべての無限集合が同じ個数であるように思われてくる。しかし，カントールはそうではないことを示した。それを述べる前に個数を表す記号を準備しよう。

自然数の個数を**可算個**といい，$\aleph_0$（アレフゼロ）あるいは $\mathfrak{a}$ と表す。

ここで，$\aleph$（アレフ）は，ヘブライ文字のアルファベットの1番目で，2番目は ב（ベート）である。$\mathfrak{a}$ は正しくはドイツ文字（Fraktur文字）で，ドイツ語で「アー」と読む。しかし，英語読みして「エー」と読む人も多い。今までやった問1と問2に出てくる正の偶数の集合とか，自然数を2乗したものの集合の個数は $\mathfrak{a}$ である。

後の5.11節で見るように実数直線は連続性，すなわち穴があいていないという性質をもっている。このことから実数直線を**連続体**であるという。そこで実数の個数を**連続体の個数**といい，$\aleph$（アレフ）あるいは $\mathfrak{c}$（ドイツ語の「ツェー」）と表す。これも英語読みして「シー」と読む人も多い。問3，問4に出てくる閉区間に含まれる点の個数とか開区間に含まれる点の個

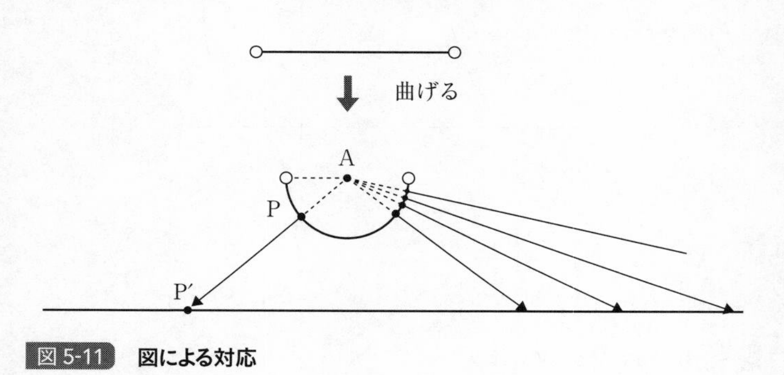

図 5-11　**図による対応**

数は $\mathfrak{c}$ である。ただし，閉区間に含まれる点の個数と開区間に含まれる点の個数が一致することを示すのはそんなに簡単ではない。さらに驚くべきことに実数の個数は平面に含まれている点の個数と等しいことがわかる。これには，発見したカントール自身もびっくりして友人の数学者に「私は見た。しかし信じない」という手紙を送った。

カントールは可算個よりも連続体の個数の方が大きいことを示した。

すなわち $\aleph_0 < \aleph$，別の言い方では $\mathfrak{a} < \mathfrak{c}$ であることを示したのである。

5.7 カントールの対角線論法

実数の個数が可算個ではないことを発見したのはカントールである。カントールは，それまで誰も思いつかなかった独自のアイデアを用いてこの事実を証明した。それは**対角線論法**とよばれている。

証明には背理法を用いる。結論を否定して，もし，実数が可算個だったと仮定する。これから矛盾を導きたい。

実数が可算個という仮定から，うまく規則を定めると，自然数と実数が1対1対応するはずである。その規則で自然数 n に対応する実数を簡単のために n 番目の実数とよぶことにする。例えば次のようになっている。

1番目の実数	123.34
2番目の実数	27.8546
3番目の実数	5
4番目の実数	1.414213…
………	………

カントールはこのような表を書いた。そして，「この表にはすべての実数が現れていない。表にない実数を作ることができる」と思いついた。
——さて，皆さんはここに書いていない実数をあげることができますか。この段階であげられたら天才です。多分天才カントールに匹敵すると思います。
「はい，えーーと……。わかりました。それは3.14…です。円周率はこの表にはまだ書いてありません」
——残念でした。円周率は５番目の実数だったのです。つまり次の通りです。

１番目の実数	123.34
２番目の実数	27.8546
３番目の実数	5
４番目の実数	1.414213…
５番目の実数	3.141592…
………	………

このようにどんな数を言ってもたちまち，それはもっと後に出てくるのだと言い返されてしまう。

果たして本当に，この表に出てこない実数などというものがあるのだろうか。

ヒントを差し上げよう。それには対角線というところに着目するのだ。対角線とは，図5－12の線だ。

すなわち，１番目の実数の小数第１位，２番目の実数の小数第２位，３番目の実数の小数第３位，…を結ぶ線が対角線である。

――さて，表に出てこない数$r = 0.\square\square\square\cdots$をどのように作ったら良いでしょう。
「それはきっと，対角線の数字を取ってできる数だ。$r = 0.35029\cdots$でしょう」
――残念！　それは6番目の実数でした。この表の6番目は次のようになっていたのです。

1番目の実数	123.[3]4
2番目の実数	27.8[5]46
3番目の実数	5　[0]
4番目の実数	1.414[2]13・・・
5番目の実数	3.1415[9]2・・・
	・ ・ ・ 対角線

図5-12　対角線

1番目の実数	123.34
2番目の実数	27.8546
3番目の実数	5
4番目の実数	1.414213…
5番目の実数	3.141592…
6番目の実数	0.350297…
………	………

確かに，6番目に，対角線の数字を取ってできる小数$s = 0.350297\cdots$があっても何の問題もないように思える。対角線の数字からできる小数sの小数第6位の7は，ちゃんと6番目の実数0.350297…の小数第6位の7と一致しているからである。

だから，対角線に出てくる数字を取ってきて作るのではなく，……。そうだ，その通りである。対角線の数字と異なる数を取ってきて作るのだ。次のように小数rを作る。

rの小数第１位は１番目の実数の小数第１位の3とは異なる数[2)]，4とする。

rの小数第２位は２番目の実数の小数第２位の5とは異なる数，6とする。

rの小数第３位は３番目の実数の小数第３位の0とは異なる数，1とする。

rの小数第４位は４番目の実数の小数第４位の2とは異なる数，3とする。

……………

このように作った$r = 0.461388\cdots$は，もはやこの表には出てこない。なぜだろうか。

rは１番目の実数ではない。なぜならば，rの小数第１位の4は，１番目の実数の小数第１位の3と異なる。

rは２番目の実数でもない。なぜならば，rの小数第２位の6は，２番目の実数の小数第２位の5と異なる。

rは３番目の実数ではない。なぜならば，rの小数第３位の1は，３番目の実数の小数第３位の0と異なる。

……………

このようにrはどんなn番目の実数ともならない。なぜなら

2)　正確に言うと，異なる数のうち，0，9ではない数とする。例えば，0，1，2，3，4，5，6，7，8，9と異なる数として，それぞれ1，2，3，4，5，6，7，8，7，8とする。すなわち，0から7までの数字は1を加え，8，9は1を引いて異なる数を作る。このようにする理由は，例えば，1番目の実数が1.000000…だったとして，その小数第1位を9に変えた場合，もし最終的にできるrが，0.9999999…だったとする。このとき，1番目の実数とrが一致してしまい不都合となるからである。この注意は最初お読みになるときにはとばしていただいて結構である。

ばrの小数第n位は，n番目の実数の小数第n位と異なるからである。したがってrは，この表のどこにも出てこない実数であることが証明された。これは矛盾である。何が間違っていたかと言うと自然数と実数が1対1対応がつくと仮定したのが間違っていたのである。したがって自然数と実数の個数は異なる。自然数は実数の一部だから自然数の個数は実数の個数以下である。したがって自然数の個数は実数の個数より小さい。

5．8　整数，正の有理数の個数は？

前節で，自然数の個数$\mathfrak{a}$（$=\aleph_0$）個と実数の個数$\mathfrak{c}$（$=\aleph$）個を比較し，対角線論法を用いて$\mathfrak{a}<\mathfrak{c}$であることを見た。それでは有理数の個数は一体，何個か。

ここでは，その準備として，整数の個数，正の有理数の個数を調べてみる。これらの個数は共に$\mathfrak{a}$個，すなわち可算個である。なぜだろうか。

自然数の集合というのは$\{1, 2, 3, 4, \cdots\}$だった。整数の集合というのは自然数だけではなく，マイナスのついた自然数と0を含む集合である。すなわち，整数の集合とは，$\{\cdots, -3, -2, -1, 0, 1, 2, 3, \cdots\}$である。自然数の集合は1から始まって2，3，4，…とだんだん大きい方へ進んでいくだけだが，整数の方は，0を中心として正の数で大きくなっていく向きと，負の数で小さくなっていく向きがある。どのように対応をつけたら良いだろうか。どんな対応でも良い。対応がつけば良いのだ。式で表す必要はない。そのためには自然数の集合を番号札①，②，③，④，⑤，…の集合と考えるのである。そして番号札を整数に割り振っていって，番号札と整数を過不足なくカップルにできる，すなわち1対1対応がつけられれば良いのである。どうすればよいか。その通り。前に進んでは後ろに戻り，前に進んでは後ろに戻りすれば良い。例えば図5－13のように対応させると1対1対応である。

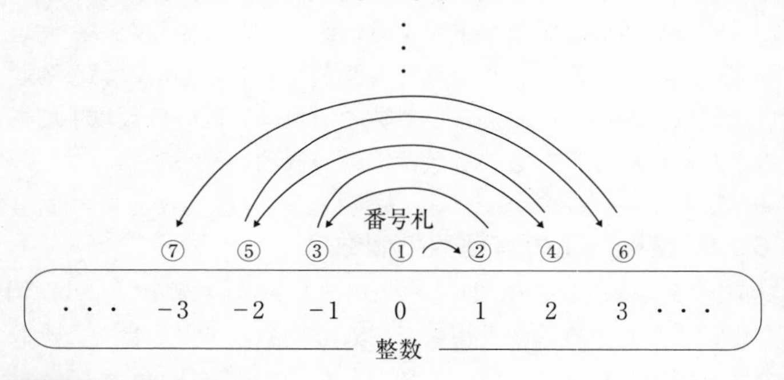

図 5-13　**整数は可算個**

では，次に正の有理数の個数がなぜ可算個なのか考えてみよう。正の有理数とは，$\frac{q}{p}$，ただし，p，qは自然数，というものだった。どう考えたら良いだろうか。まず有理数全体を表にしたら良い。そうしたらどう対応をつけたら良いかのヒントが得られるだろう。分数には分母と分子があるから例えば図5－14のような表を作ったらどうか。

今度もさっきと同様，自然数の集合を番号札①，②，③，④，⑤，…の集合とみなそう。図5－15（a）のように例えば$\frac{1}{1}$から出発して，ずっと右へ右へと

p \ q	1	2	3	4	
1	$\frac{1}{1}$	$\frac{2}{1}$	$\frac{3}{1}$	$\frac{4}{1}$	
2	$\frac{1}{2}$	$\frac{2}{2}$	$\frac{3}{2}$	$\frac{4}{2}$	⋮
3	$\frac{1}{3}$	$\frac{2}{3}$	$\frac{3}{3}$	$\frac{4}{3}$	
4	$\frac{1}{4}$	$\frac{2}{4}$	$\frac{3}{4}$	$\frac{4}{4}$	⋱
		・・・			

図 5-14　**正の有理数の表**

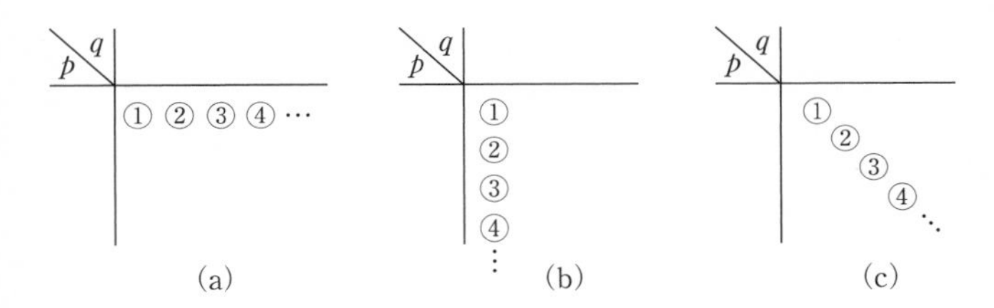

図5-15　番号札を振ってみる

進んでしまうと1行目を数え上げておしまいである。また，(b) のように $\frac{1}{1}$ から出発して，ずっと下へ下へと進んでしまうと1列目を数え上げておしまいである。だからといって中を取って，(c) のように右下，右下へと数えていくと，対角線だけでおしまいである。

まんべんなく番号札を振るにはどうしたら良いか。例えば図5-16のように番号札を振っていったら良いだろう。(1) の振り方でも，(2) の振り方でも良い。

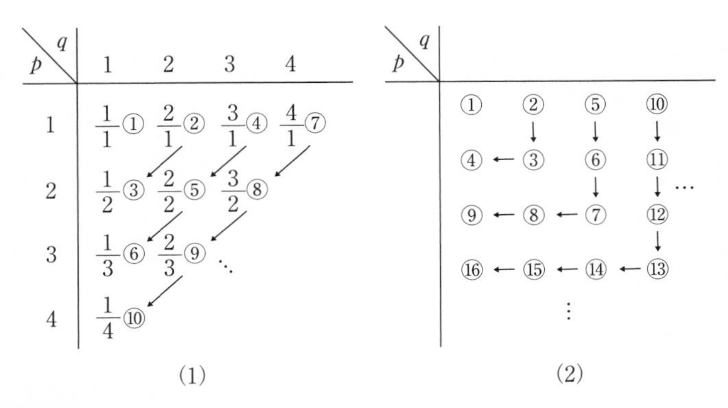

図5-16　まんべんなく

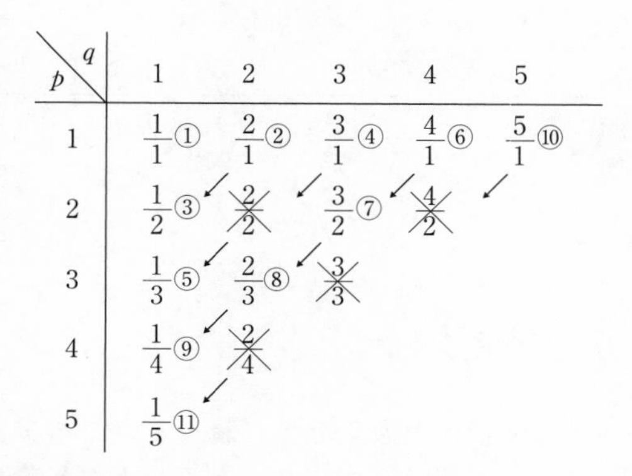

図 5-17　**厳密に言うと**

アイデアはその通りである。細かいことは気にしなくて結構であるが，正確に言うとこの議論はちょっと嘘である。分数の表には同じ分数がたくさん出てくる。例えば $\frac{1}{1}=\frac{2}{2}$ などである。だから最初から順番に番号札を与えていって途中で同じ分数が出てきたらそれを飛ばすことにしたら完璧である。例えば図5－17のようにすれば良い。

５．９　個数の足し算

無限の個数どうしも足し算ができる。どのように計算したら良いだろうか。それを考えるためにまず，足し算とはどんなことだったか考えてみよう。

――２つの個数を足す。例えば，$2+3=5$ というのはどういうことだろうか。

「２個のものと３個のものをもってきて合わせることです」

――それではやってみましょう。図5－18で２個のものと３個のものをもってきて合わせて4ですね。

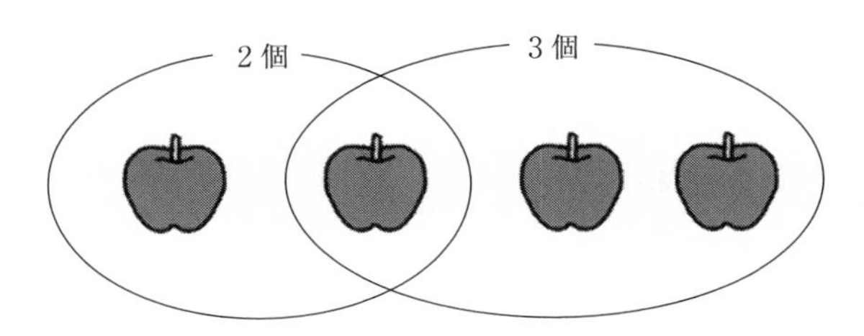

図5-18　2＋3＝4？

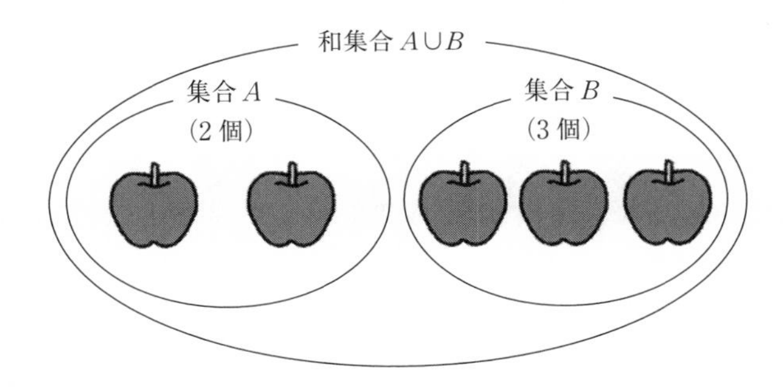

図5-19　2＋3＝5

「違います。2個と3個を離して置かないとだめです。例えば両手に別々にもつとか，…」

その通りである。$2+3$は，図5－19のようになる。2個の要素からなる集合Aと3個の要素からなる集合Bで，AとBが交わらない（言いかえると，共通部分がない）ものを取ったときに，和集合$A \cup B$の個数が$2+3$である。

一般に**個数の足し算**を全く同じように定義する。個数がpの集合Aと個数がqの集合Bで，AとBが交わらないものを取ったときに，和集合$A \cup B$の個数が$p+q$である。

AとBが交わらないというのがポイントである。たったこれだけの定義である。早速練習してみよう。$\mathfrak{a}$は可算個，すなわち自然数の個数，$\mathfrak{c}$は実数の個数だったことを思い出しておこう。

次の計算をせよ。

(1) $1+\mathfrak{a}$
(2) $\mathfrak{a}+\mathfrak{a}$
(3) $\mathfrak{a}+\mathfrak{c}$

「そんなこと急に言われたって，無茶です。どう考えたら良いか全くわかりません」
——必要な情報はすべてお知らせしました。計算ができるはずです。
「うーーーーん」
(1) のヒントを差し上げよう。2通りの考え方がある。1つは，個数が$\mathfrak{a}$である集合を自然数の集合Bだと考える方法である。個数の足し算の定義だと，Bと交わらない集合Aで，個数が1である集合を何かもってこないといけない。

このときにセンスの良さが問われる。Bが$\{1, 2, 3, \cdots\}$だから，AはBに入っていない数からなり，Bと合わせたときにすぐ数えられる集合にしたい。それには，……そうだ，$A=\{0\}$，すなわち数0の1個だけからなる集合とすれば良い。

するとAとBは交わらない集合で，それぞれの個数は，1個と$\mathfrak{a}$個である。足し算の定義の条件をみたしている。後は和集合$A\cup B$の個数を調べれば良い。しかし，それはそんなに難しいことではない。自然数の集合$\{1, 2, 3, \cdots\}$と，0以上の整数の集合$A\cup B=\{0, 1, 2, \cdots\}$は規則$n\mapsto n-1$で1対1対

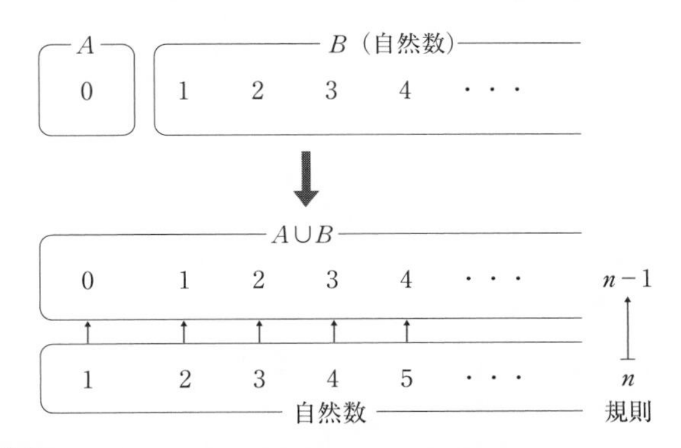

図5-20　$1+\alpha=\alpha$ ―― 自然数の外に何をもってこようか

応する。したがって和集合$A\cup B$の個数は自然数の個数と同じαである（図5－20）。

もう1つ考え方がある。もし$1+\alpha$の答えがα，すなわち自然数の個数と同じことが予想できたときには，和集合$A\cup B$が自然数と個数が同じになるはずだから，最初から和集合$A\cup B$

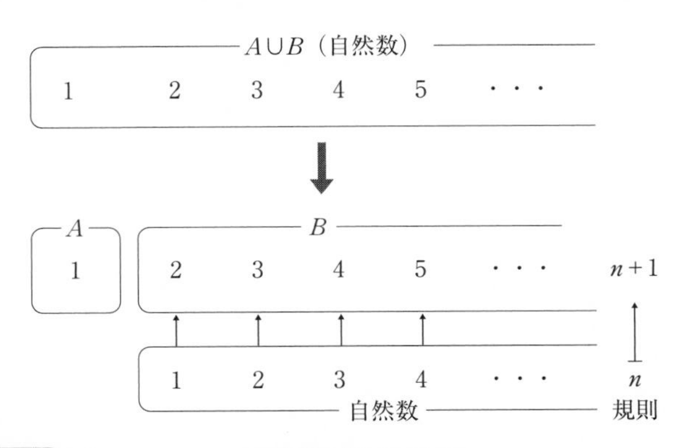

図5-21　$1+\alpha=\alpha$ ―― 自然数をどう分けようか

が自然数の集合と同じだと考えても良い。言いかえると，自然数の集合を1個の要素からなる集合Aとα個の要素からなる集合Bに分けられれば良いのだ。

どうしたら良いだろうか。例えば，$A = \{1\}$，$B = \{2, 3, 4, \cdots\}$とすれば良い（図5－21）。

それでは（2）はどうだろう。答えは想像がつくだろう。その通り。$\alpha + \alpha = \alpha$である。（1）と同様に考えれば良い。（1）での2通りの証明に対応する証明をあげておく。まず，Aを自然数の集合と考えた場合，例えば図5－22の（a），（b）の証明がある。

（a）では，Bを0以下の整数とするとBの個数がαであることがわかる。このとき，$A \cup B$は，整数の集合で，その個数がαであることはすでに示した。（b）では，Bが太文字で書かれた自然数の集合で，文字が違うので異なる集合とみなされる。$A \cup B$に，自然数の番号札が振れるので，$A \cup B$の個数がαで

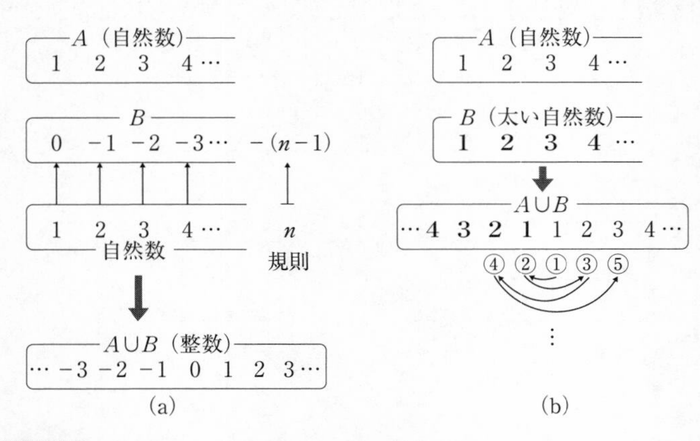

図5-22 $\alpha + \alpha = \alpha$ ── 自然数の外に何をもってこようか

あることが示せた。

次に$A \cup B$を自然数の集合と考えた場合には，図5－23のようにそれを偶数と奇数に分けるのが自然だろう。

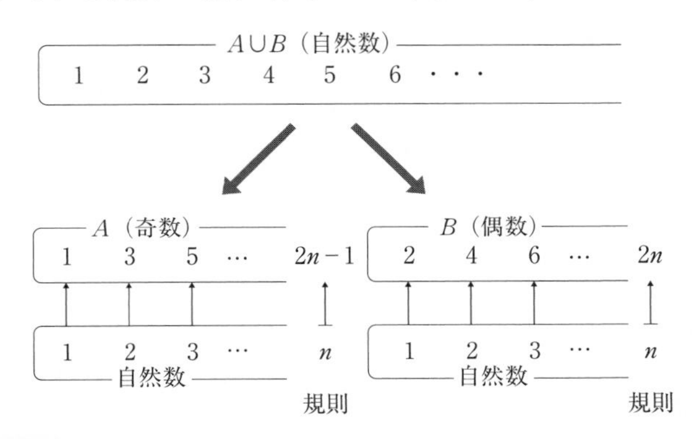

図5-23　$\alpha + \alpha = \alpha$ ── 自然数をどう分けようか

(3) は難しいので，ここでは証明しない。しかし一般に2つの個数p，qが，$p \leqq q$でqが無限という条件をみたすとき，$p + q = q$となることが知られている。なんと簡単な足し算なのだろうか。無限の個数どうしの足し算の答えは必ず大きい方になるのである。小学校での足し算より全然簡単だ。何も覚える必要がないのである。

5.10 個数対決の決着

いよいよ本章最大のテーマ，有理数と無理数の個数の比較を行おう。まず，有理数の個数を決定しておこう。5.8節で，正の有理数の個数がα個であることを示した。有理数の集合は正の有理数（α個）と0（1個）と負の有理数からなる。負の有理数の個数はもちろん正の有理数の個数，αと等しい。した

がって，前節の個数の足し算を用いると，全部で

$$\alpha + 1 + \alpha = \alpha + (1 + \alpha) = \alpha + \alpha = \alpha \text{個}$$

となる。したがって有理数の個数はαである。

それでは無理数の個数はそれより大きいか小さいか。もし無理数の個数が有理数の個数α以下だと仮定しよう。(実数の個数c) = (有理数の個数) + (無理数の個数) で，有理数の個数はαである。仮定より無理数の個数はα個以下より，$c \leqq \alpha + \alpha = \alpha$となる。ゆえに$c \leqq \alpha$となるが，これは5.7節でカントールの対角線論法を用いて示した$c > \alpha$と矛盾する。したがって無理数の個数が有理数の個数α以下だという仮定が間違っていたことになる。ゆえに無理数の個数は有理数の個数より大きい。

無理数の個数をqとすると，無理数の個数の方が有理数の個数以上であることから，もし，5.9節問の (3) で紹介した個数の足し算の規則「一般に２つの個数p，qが，$p \leqq q$でqが無限という条件をみたすとき，$p + q = q$となる」が既知だとすると，実数の個数c = (有理数の個数) + (無理数の個数) = $\alpha + q = q$。したがって$c = q$，すなわち無理数の個数は実数の個数と等しいことがわかる。

5.11 実数の連続性――区間縮小法

実数の個数が自然数の個数より多いということを，5.7節でカントールの対角線論法を用いて証明した。ここではもう１つの方法，区間縮小法というのを用いて示してみる。

区間縮小法とは何だろう。これはみなさんが昔，高校生の頃，数列の収束する値を求めるのに，お題目のように唱えさせ

られ，わけもわからなく使った，通称「はさみうちの原理」に似ている。はさみうちの原理を使ったのは次のようなときだ。

問　$\lim_{n \to \infty} \dfrac{\sin n}{n}$ の値を求めよ。

答えはおわかりだろうか。分子の $\sin n$ が大きく動くことはないことがポイントだ。n がどのように動いても $\sin n$ は -1 と 1 の間を動くだけである。したがって，その値を n で割って，その n をどんどん大きくしていけば，分数 $\dfrac{\sin n}{n}$ は 0 に近づく。これでだいたい良いのだが，はさみうちの原理を用いて答えを書くとどうなるか考えてみよう。

その前にはさみうちの原理とは何だったのか。復習しておこう。

３つの数列，$\{a_n\}$，$\{c_n\}$，$\{b_n\}$ があって，$a_n \leqq c_n \leqq b_n$ をみたし，$\lim_{n \to \infty} a_n = \lim_{n \to \infty} b_n = \alpha$ ならば，$\lim_{n \to \infty} c_n = \alpha$ となる。これがはさみうちの原理だ。これを理解するには，自分が c の気持

図 5-24　はさみうち

ちになるとわかりやすい。自分がcになったつもりで２人の人，aさんとbさんにはさまれていると考える。自分がぼんやりしているうちにaさんがa_nという動きで，bさんがb_nという動きでαという地点に近づいていく。このとき，はさまれている自分も最後は２人が迫っていく地点αに追いやられてしまう。そんな感じである。

はさみうちの原理を用いてさっきの問の答えを書くと次のようになる。

不等式$-1 \leqq \sin n \leqq 1$の各辺に正の数$\dfrac{1}{n}$をかけると$-\dfrac{1}{n} \leqq \dfrac{\sin n}{n} \leqq \dfrac{1}{n}$となる。ここで，左辺と右辺の極限を調べると，$\lim_{n \to \infty} \left(-\dfrac{1}{n}\right) = \lim_{n \to \infty} \dfrac{1}{n} = 0$となるので，はさみうちの原理より，真ん中の項の極限も$\lim_{n \to \infty} \dfrac{\sin n}{n} = 0$となる。

区間縮小法とは，はさみうちの原理と似ている。しかし区間縮小法では，はさまれている自分というのが最初からいるわけではない。

実数の連続性を**区間縮小法**という方法で表現すると次のようになる。

２つの数列，$\{a_n\}$，$\{b_n\}$があって，$a_1 \leqq a_2 \leqq a_3 \leqq \cdots$，かつ$\cdots \leqq b_3 \leqq b_2 \leqq b_1$で，任意の$n$に対して$a_n \leqq b_n$をみたし（これらをまとめて，$a_1 \leqq a_2 \leqq a_3 \leqq \cdots \leqq a_n \leqq \cdots\cdots \leqq b_n \leqq \cdots \leqq b_3 \leqq b_2 \leqq b_1$と表しても良い）。さらに$\lim_{n \to \infty} (b_n - a_n) = 0$ならば，必ずある実数$\alpha$で，$\lim_{n \to \infty} a_n = \lim_{n \to \infty} b_n = \alpha$を満たすものが存在する。

実数の連続性とは，aさんとbさんが向かい合って前に進みながら限りなく近づいていくと必ず誰かが捕まえられるという感じのことである。最後に何もないということがないのである。

図5-25　必ず誰かが捕まる

それと対比するために，有理数の集合を考えよう。有理数の集合は連続性をもたない。

なぜならば，例えば$\sqrt{2}$は有理数ではなく，無理数である。$\sqrt{2}=1.41421356\cdots$である。ここで，$\sqrt{2}$を小数で表したものの小数第$n$位まで取ったものを$a_n$とする。例えば$a_1=1.4$，$a_2=1.41$，$a_3=1.414$，…。そして，$b_n$を$a_n$の最後の桁に1を加えたものとする。すなわち，$b_1=1.5$，$b_2=1.42$，$b_3=1.415$，…。このとき，$a_n$，$b_n$は有限小数なので有理数であり，$a_n<$

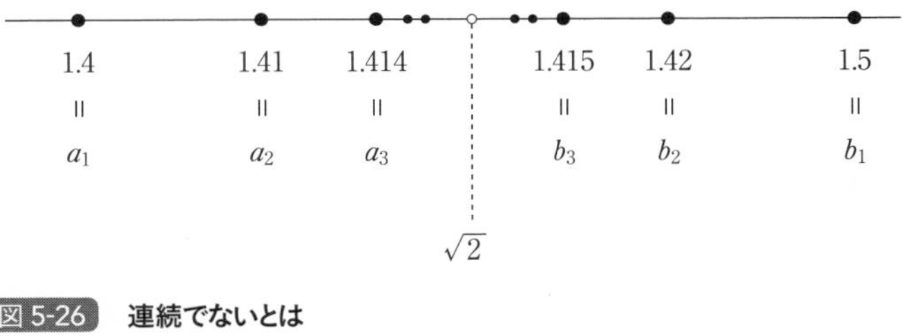

$1.4 = a_1$　$1.41 = a_2$　$1.414 = a_3$　$1.415 = b_3$　$1.42 = b_2$　$1.5 = b_1$

$\sqrt{2}$

図5-26　連続でないとは

$\sqrt{2} < b_n$より，$a_n < b_n$をみたす。また，$b_n - a_n = \dfrac{1}{10^n}$なので，$\lim_{n \to \infty}(b_n - a_n) = 0$。したがって$\{a_n\}$，$\{b_n\}$は，区間縮小法の定義での仮定をみたす。ところが，実数の集合では$\lim_{n \to \infty} a_n = \lim_{n \to \infty} b_n = \sqrt{2}$だが，$\sqrt{2}$は有理数の集合には存在しない。したがって有理数の集合は区間縮小法の結論をみたさない。すなわち連続性をもたない。

有理数の世界では無理数の穴があいているので２人で向かい合って近づいていっても無理数の穴に近づくだけで，そこには何もないというわけである。**実数の連続性**というのは，有理数だけだとまだ穴だらけだが，無理数を加えて実数にするともはや穴がなくなっている。そういう感じである。

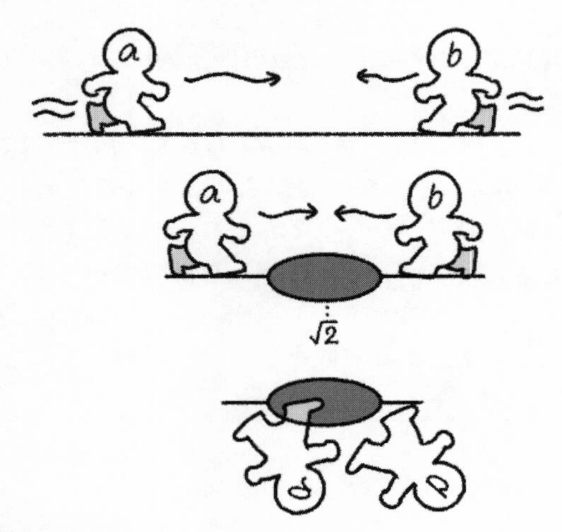

図 5-27　**穴に落ちる**

最後になぜ，これが区間縮小法とよばれるかを説明しておこう。区間縮小法による連続性の定義に出てくる２つの数列$\{a_n\}$

と $\{b_n\}$ に対して，閉区間 $[a_n, b_n]$ を考えると，$[a_1, b_1] \supseteq [a_2, b_2] \supseteq [a_3, b_3] \supseteq \cdots$。

このように考えると区間縮小法の命題を次のように言いかえることができるからである。

閉区間の列 $[a_1, b_1] \supseteq [a_2, b_2] \supseteq [a_3, b_3] \supseteq \cdots$ があり（ただし，$a_n = b_n$ のときは区間 $[a_n, b_n]$ は1点となってしまうが，ここではそれも区間とよぶことにする），$\lim_{n \to \infty} (b_n - a_n) = 0$ をみたすならば，実数 α で，これらの区間の共通部分に入るものが存在する。

5.12 実数の非可算性ふたたび——区間縮小法による証明

実数の個数が可算個（＝自然数の個数）と異なることを，5.7節で対角線論法を用いて示した。ここでは，実数の個数の非可算性を，前節で見た，実数の連続性（区間縮小法）を用いて示してみよう。

やはり背理法を用いる。もし実数が可算個だったとすると，ある規則ですべての実数は自然数と1対1対応する。その対応で自然数 n と対応する実数を r_n と表すことにする。このとき，実数全体は，$\{r_1, r_2, r_3, \cdots\}$ となる。これから順番に閉区間 $I_n =$

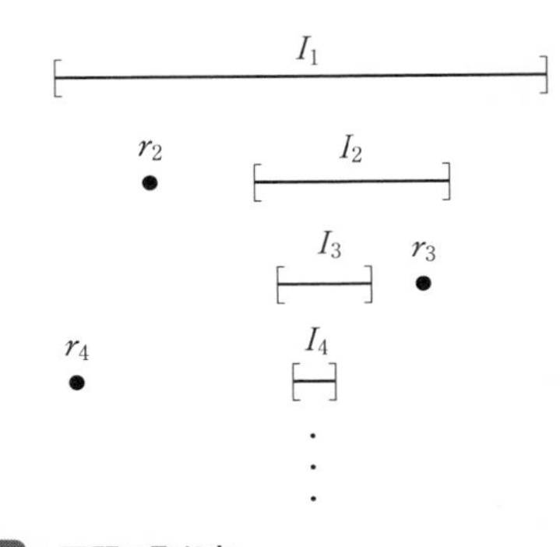

図5-28　区間の取り方

$[a_n, b_n]$（ただし，$a_n < b_n$）を構成していく。

まずr_1を含まない閉区間I_1を何でも良いから1つ取る。

次にr_2を考える。もしr_2が，区間I_1に入っているときには，r_2を避けるように（すなわちr_2を含まないように）閉区間I_2をI_1の中に取る。ただし，区間I_2の幅が区間I_1の幅の半分以下になるようにする。r_2が，区間I_1に入っていないときには，閉区間I_2をI_1の中に，区間幅がI_1の幅の半分以下になることだけを気にして取る。

次にr_3を考える。もしr_3が，区間I_2に入っているときには，r_3を避けるように（すなわちr_3を含まないように）閉区間I_3をI_2の中に取る。ただし，区間I_3の幅が区間I_2の幅の半分以下になるようにする。r_3が，区間I_2に入っていないときには，閉区間I_3をI_2の中に，区間幅がI_2の幅の半分以下になることだけを気にして取る。

以下同様に閉区間$I_n = [a_n, b_n]$を順番に取っていく。このとき，閉区間の列は，$[a_1, b_1] \supseteq [a_2, b_2] \supseteq [a_3, b_3] \supseteq \cdots$をみたし，さらに$I_{n+1}$の区間幅を$I_n$の区間幅の半分以下にしていることから，$\lim_{n\to\infty}(b_n - a_n) = 0$をみたす。したがって区間縮小法による実数の連続性より，実数αで，これらの区間の共通部分に入るものが存在する。

このとき，どんなnに対しても実数αは閉区間I_nに属するが，閉区間I_nの取り方より，r_nは閉区間I_nに属さない。したがってどんなnに対しても$\alpha \neq r_n$。ところで，仮定より実数全体は，$\{r_1, r_2, r_3, \cdots\}$と表せた。ゆえに，実数$\alpha$はこの集合に入っていないことになる。したがって矛盾が導かれ，実数は可算個ではないことが示された。

5.13 平面は交わらない円板で覆えるか？

平面内の円を考える。円と言ったときに，円周のことか，それとも内部も含まれているのかがあいまいなので，円周とその内部の和集合を**円板**と言う。

平面は円板で覆いつくせるだろうか。ちょっと考えてみよう。

有限個の円板ではもちろん不可能である。しかし無限個の円板を使えばそれは可能である。例えば原点を中心とする同心円で覆えば良い（図5－29）。

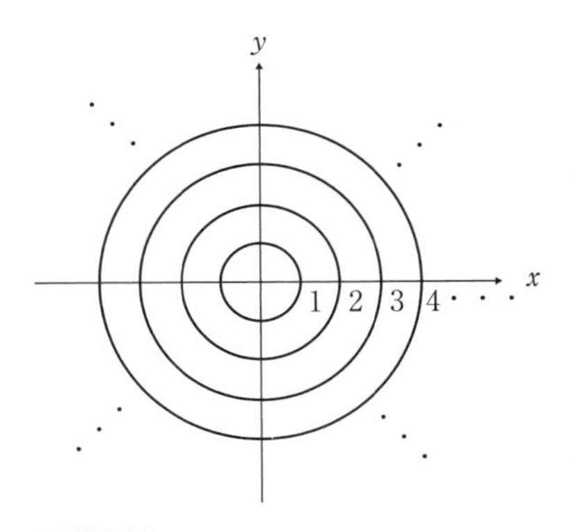

図 5-29　平面を円板で覆う

それでは，平面をお互いに交わらない円板で覆いつくせるだろうか。円板を傘だと思ったらわかりやすい。雨が降っている。みんなが傘をさしている。傘と傘がぶつからないように，しかも地面に雨が1滴も落ちないように傘をさすことができるかという問題だ（図5－30）。

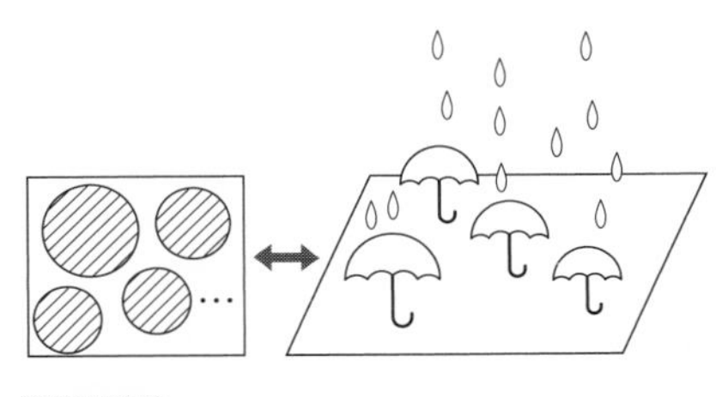

図 5-30　傘をさす

そんなこと，きっとできるに違いない。傘が無限にたくさんあればいくらでも可能だと思われるかもしれない。答えは意外だ。どんなにたくさんの交わらない傘をもってきても決して平面を覆いつくすことはできないのである。不思議である。

きちんと証明を書くには細かいところをいろいろ気にしなければならないので，大体のアイデアだけを述べよう。アイデアは次の２つである。

(1) 傘は可算個しか使えない。

(2) 区間縮小法

まず，(1) がなぜ成立するのか考えてみよう。平面上の点で，x座標とy座標が共に有理数である点を平面の**有理点**という。例えば，$(\frac{2}{3}, 5)$ は有理点だ。また，有限小数は有理数だから，(1.32, 3.75) も有理点である。有理数の個数が可算個であったことと同様に，有理点全体の個数は可算個であることが示される。

どんな円板にも必ず有理点が含まれることに注意しよう。例えば円板の中心が (2.457843…, 53.348975…) だとしたら，平面上の有理点の列 (2, 53)，(2.4, 53.3)，(2.45, 53.34)，…は中心に近づくので，その点列の中から円板に含まれるものが見つかるはずである。

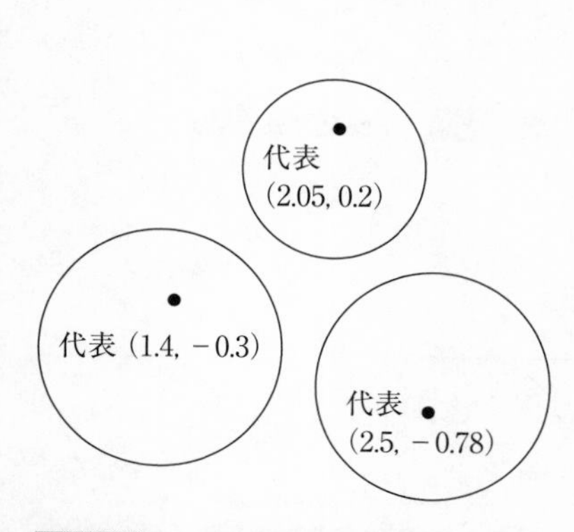

図 5-31 円板の名前を代表の有理点で

平面上に交わらない円板がいくつかあったとすると，その円板の個数は必ず，有限個，または可算個であることを示す。

各円板から１つ有理点を選び，それをその円板を代表する有理点とする。各円板の代表者を選ぶのである。

このとき各円板と，その代表者の有理点とは１対１対応がついているので円板の個数は代表になっている有理点の個数と等しい。したがってそれは，すべての有理点の個数（これは可算個）以下となる。

次にどのように（2）を用いるか考えよう。もし平面が交わらない円板で覆いつくせたとしよう。（1）より，円板は可算個なので円板をB_1，B_2，B_3，…と表せる。自然数と円板たちの集合との１対１対応を考え，自然数nに対応する円板をB_nとすれば良い。

さて，ここでx軸に着目しよう。x軸と各円板B_nの共通部分C_nは図5－32のように，（a）閉区間，（b）１点，（c）空集合のどれかになっている。

したがってx軸が可算個の集合でそれぞれが閉区間または１点であるもので覆えないことを示せば十分である。細かい証明は複雑なので省略するが（2）の区間縮小法を用いて，覆えないx軸上の点を見つけることができるのである。

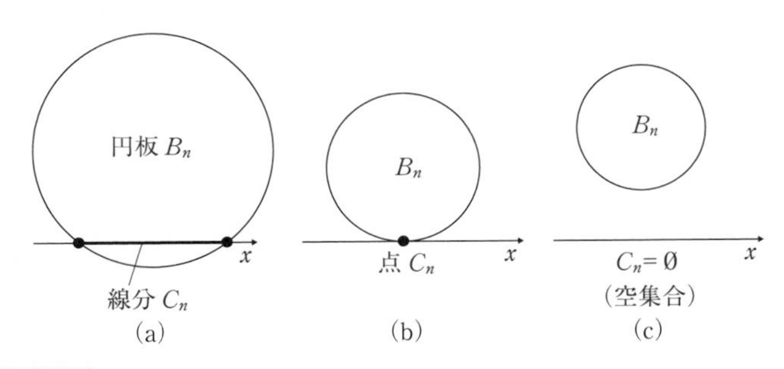

図5-32　共通部分

そのアイデアは次の通りである。きちんと理解できなくても，なんとなく様子をつかんでいただければ十分である。

もし，数直線が，お互いに交わらない閉区間または点$C_n = [a_n, b_n]$，$n = 1, 2, \cdots$，で覆われたとする。ここで，$a_n < b_n$のとき，C_nは閉区間であり，$a_n = b_n$のとき，C_nは点であることに注意する。この仮定のもとで矛盾を示したい。

自然数の列n_1，n_2，…と閉区間の列I_nを次のように取る。$n_1 = 1$とする。$\{C_n\}$に出てくる区間のうち，$C_{n_1} = C_1$以外の区間であり，C_{n_1}の右側にあり，C_{n_1}の右端点から距離1以下の範囲まで伸びているものを考え，そのようなもののうち番号が一番小さいものをC_{n_2}とする。

次に，$\{C_n\}$に出てくる区間のうち，C_{n_1}とC_{n_2}の間にある区間で，C_{n_2}の左端点から距離$\dfrac{1}{2}$以下の範囲まで伸びているものを考え，そのようなもののうち番号が1番小さいものをC_{n_3}とする。

次に，$\{C_n\}$に出てくる区間のうち，C_{n_3}とC_{n_2}の間にある区

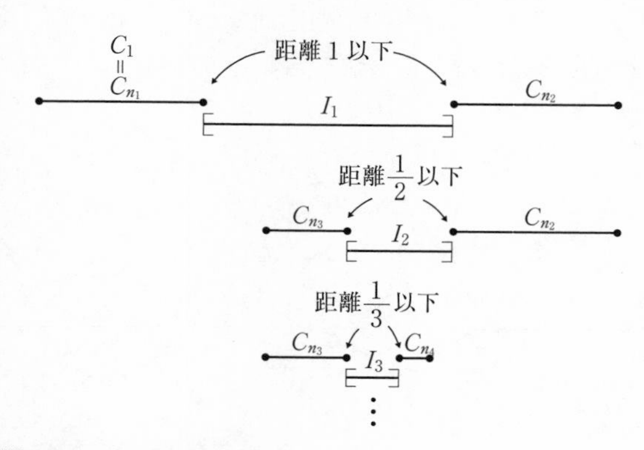

図5-33 覆えない点の見つけ方

間で，C_{n_3}の右端点から距離$\dfrac{1}{3}$以下の範囲まで伸びているものを考え，そのようなもののうち番号が一番小さいものをC_{n_4}とする。……

これらの区間が帰納的に構成できる理由は，(a) 2つの交わらない閉区間を取ると，必ずその2つの区間の間にすきまができること，(b) 交わらない区間の列$\{C_n\}$が数直線をすべて覆っていることにある。そこで，図5－33で定義される区間をI_1，I_2，I_3，…とする。すなわち，kが奇数のときI_kはC_{n_k}の右端点と$C_{n_{k+1}}$の左端点を両端とする閉区間で，kが偶数のとき，I_kは$C_{n_{k+1}}$の右端点とC_{n_k}の左端点を両端とする閉区間だとする。構成のしかたから，I_nは，だんだん小さくなっている閉区間の列で，区間の幅は0に収束する。したがって区間縮小法による，実数の連続性の定義より，すべての区間I_1，I_2，I_3，…に入っている実数αが存在する。

このとき，このαが，どんなC_nにも入っていないことが示せる[3)]。これは，最初に仮定した，C_nが数直線を覆うということに矛盾する。

5.14 個数の違いから存在が…

5.2節で，ピタゴラス学派が，$\sqrt{2}$が無理数であることを知り，それが教団の教えに反する恐ろしい事実だったので秘密にしようとしたというお話をした。彼らは具体的な数$\sqrt{2}$が無理

3) 少し難しいが，興味のある方はなぜか考えてみていただきたい。その理由は，大体次の通りである。もし，αがあるC_mに含まれたとする。区間の列C_{n_1}，C_{n_2}，C_{n_3}，…は，αに，左からも右からも近づいていくので，C_mは，必ずこれらのどれかのC_{n_k}と交わることになってしまう。ところで，C_{n_k}はαを含まないので，C_mとC_{n_k}は異なる。これは，$\{C_n\}$が，交わらない区間の列であることに矛盾する。

数であることを証明して無理数の存在を知ったのである。

ところで，私たちは5.6節で無限の個数の比較のしかたを調べた。そして，5.10節で実数の個数が有理数の個数（＝可算個）より大きいことを知った。私たちはその時点で，具体的な無理数を１つも調べなくても，有理数でない実数，すなわち無理数の存在がわかったのである。個数を数えるだけである種の数の存在を知ったのである。

同じ議論で超越数の存在を示すこともできる。整数を係数とする$a_n x^n + a_{n-1}x^{n-1} + \cdots + a_2 x^2 + a_1 x + a_0 = 0$という形の方程式（代数方程式とよばれる）の解として表される複素数は，**代数的数**とよばれる。そして，代数的数でない複素数は**超越数**とよばれる（図5－34）。

有理数$\dfrac{q}{p}$（p，qは整数，$p \neq 0$）は，代数的数である。なぜならば$\dfrac{q}{p}$は，代数方程式$px - q = 0$の解だからである。

$\sqrt{2}$は，有理数ではなかった。しかし$\sqrt{2}$は，ある意味ではそんなに整数からかけ離れていない。すなわち，$\sqrt{2}$は，代数的数である。$\sqrt{2}$を解とする代数方程式$x^2 - 2 = 0$を作ることができる。

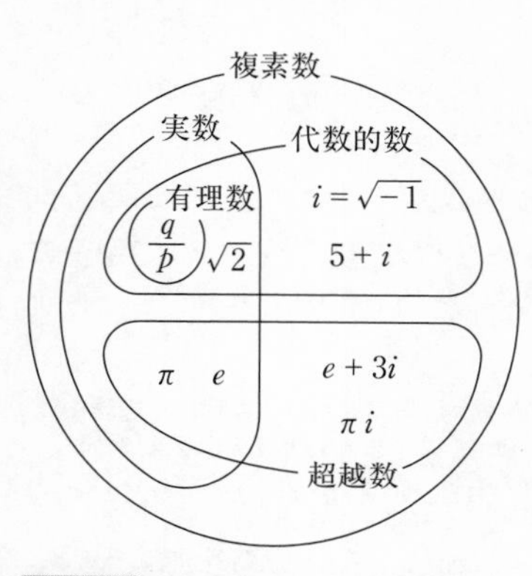

図5-34　**代数的数，超越数**

代数方程式の個数は可算個だということが知られている。また，n次方程式には高々n個の解しかないから，各代数方程式の解の個数は有限個である。その有限集合を可算（＝代数方程式の個数）通り集めてきても全体で可算個としかならない。したがって代数的数の個数は可算個である。ところが実数は可算個より多いので，実数の中に代数的数でないもの，すなわち超越数があることがわかる。もっときちんと調べると，超越数と実数の個数は一致することがわかる。

それではどんな数が超越数なのだろうか。円周率 π とか，自然対数の底 e は超越数であることが知られている。ただしその証明は非常に複雑である。しかし，ここで見たように，超越数が存在することは，具体的な数が超越数であることを示さなくても，個数を比較することで簡単にわかってしまうのだ。

第6章 カントールの残したもの，ゲーデルの不完全性定理

6．1 カントールの苦悩

前章での無限の個数についての結果はすべて，ドイツの数学者，**ゲオルク・カントール**(1845－1918) が1人で発見したものである。彼はベルリン大学で，ワイエルシュトラス，クンマー，クロネッカーなど，当時の世界的な数学者のもとで学んだ。しかし，その後地方大学であるハレ大学に就職し，恵まれない孤独な環境のもと，このような歴史的発見をした。

図6-1 カントール

1884年以降，カントールはたびたび抑うつ状態となり，精神病院に入院している（最後も精神病院で息を引き取った)。理由の1つは，どうしても解けな

かった連続体仮説の問題（次節で詳しく述べる）に集中する余り，神経をすり減らしたことだった。そして，もう1つは，カントールの仕事に対する無理解だった。カントールの先生だったクロネッカーは，整数論で素晴らしい業績を残した人である。しかしクロネッカーは，整数だけが本当に存在し，無限集合や無理数などという怪しげなものを数学では扱ってはいけないという考えをもっていた。カントールを責めたり，カントールの論文が雑誌に載らないように邪魔をした。

そんな中で，カントールが発した叫びとも思える次の言葉がある。

「数学の本質はその自由性にある」

6.2 連続体仮説——カントールの残したもの

前節で述べたように，カントールは，連続体仮説の問題に神経をすり減らした。連続体仮説とは何だろうか。

私たちは第5章で，自然数の個数を可算個とよび，$\mathfrak{a}$個，あるいは$\aleph_0$個と表した。実数の個数を連続体の個数とよび，$\mathfrak{c}$個，あるいは$\aleph$個と表した。そして，カントールは対角線論法を用いて$\mathfrak{a} < \mathfrak{c}$を示したことを知った（5.7節）。

それでは$\mathfrak{a}$と$\mathfrak{c}$の間に別の個数があるのだろうか。例えば，自然数で言えば，1と2の間には，別の個数はないが，1と3の間には別の個数2がある。はたして$\mathfrak{a}$と$\mathfrak{c}$の間は，どうなっているのだろうか。

冗談で，アルファベットの順番から考えると$\mathfrak{a}$と$\mathfrak{c}$の間にはきっと$\mathfrak{b}$があるに違いないと言う人がいるがそんなに簡単ではない。

そこで，「$\mathfrak{a}$と$\mathfrak{c}$の間に別の個数はない」，言いかえると1と

2のように「$\mathfrak{a}$の次の個数は$\mathfrak{c}$である」という仮説を**連続体仮説**という。このとき，連続体仮説の否定は，「$\mathfrak{a}$と$\mathfrak{c}$の間に別の個数がある」ということになる。

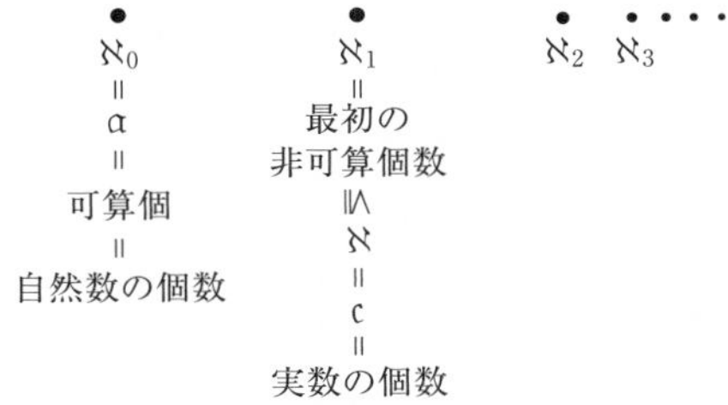

$\aleph_0$ = $\mathfrak{a}$ = 可算個 = 自然数の個数

$\aleph_1$ = 最初の非可算個数 $\leqq$ $\aleph$ = $\mathfrak{c}$ = 実数の個数

$\aleph_2$，$\aleph_3$，…

図 6-2　**$\aleph$ たち**

すべての無限の個数を下から数えていく方法がある。1番小さいのが可算個，すなわち$\aleph_0$個だ。次を$\aleph_1$，その次を$\aleph_2$，…とする。この記号を用いると，連続体仮説は$\aleph = \aleph_1$，連続体仮説の否定は$\aleph > \aleph_1$と表すことができる。

カントールはあるときには，連続体仮説を証明したと思って友人に手紙を送った。また別のときには，連続体仮説の否定を証明したと思って友人に手紙を送った。後に，連続体仮説が正しいことはカントールにとって信念になったようである。

カントールの無限の理論にはだんだん賛同者が増えてきた。当時の世界的数学者**ヒルベルト**(1862－1943）もその1人だった。彼は，「何人たりとも，ゲオルク・カントールが開いてくれた楽園から我々を追い出すことはできない」と言った。

図 6-3　**ヒルベルト**

1900年，パリで国際数学者会議があった。38歳のヒルベルトは，ドイツのゲッチンゲン大学から招かれて「数学の問題」についての講演を行った。そのとき提出された23個の問題がヒルベルトの23問題として，20世紀の数学者の研究目標となった。ヒルベルトがその第1の問題としてあげたのが，カントールの連続体仮説の問題である。

多くの人が連続体仮説の証明，あるいは否定の証明にやっきになったが，この問題は意外な結末を見た。

アメリカのプリンストン高等研究所で，アインシュタイン（1879－1955）の友人だった**ゲーデル**（1906－1978）は，1937年に次のことを証明した。

定理（ゲーデル）

連続体仮説が偽であることは，現在我々が知っているあらゆる数学的手段[4)] を用いても証明できない。

さらに1963年にアメリカのスタンフォード大学の**コーエン**（1934－2007）が，次のことを証明した。

定理（コーエン）

連続体仮説が真であることは，現在我々が知っているあらゆる数学的手段[4)] を用いても証明できない。

これらの証明には，4.11節で，平行線の公理が他の公理から導けないことを示すときにモデルを作ったように，モデル（おもちゃ）を作るのである。ゲーデルは連続体仮説が真である，

4) ここで「現在我々が知っているあらゆる数学的手段」というのは正確に言うと，集合論の公理系 ZF あるいはそれに選択公理を加えた公理系 ZFC だが，そのことはわからなくてよい。

「構成的集合全体のクラス」とよばれるモデルLを作り，コーエンは強制法という手法を用いて，連続体仮説が偽である新しいモデルを作った。コーエンの手法は非常に独創的だったので，1966年に数学最高の栄誉とされるフィールズ賞を受けた。**フィールズ賞**とは，カナダの数学者フィールズの寄付した基金により，４年に１回開かれる国際数学者会議のたびに，最も著しい仕事をした数学者たちに与えられる。ただし，40才以下という年齢制限がある。これは数学界のノーベル賞にあたる。数学にノーベル賞がないのは，ノーベルが，同じスウェーデンの代表的数学者ミッタグ・レフラーと仲が悪く，数学者嫌いだったからだという説もある。

6．3　ゲーデルの不完全性定理

前節で私たちにとって，真であるか偽であるか決定できないような命題があることを知った。それでは，私たちはどこまで真実を追究することができるのだろうか。ゲーデルは一般に次の不完全性定理が成立することを示した。

定理[5)]（ゲーデルの不完全性定理）

いくらたくさんの公理を立てても，ある命題で，その公理系からはそれが真であることも証明できないし，偽であることも証明できないというものが必ず存在する。特にその公理系自身が無矛盾であることは，その公理系を用いて証明することはできない。

5)　正確にはこの定理は自然数の公理を含む体系にのみ適用されるが，ここではあまりこだわらないようにしよう。

図 6-4　ゲーデル

つまり，いくらがんばってたくさんの公理を立てても，そこからはわからないことが必ず出てくるというのである。

「やったぞ。これですべての真理を見つけた」

そういう瞬間は絶対来ないというのである。

この定理の証明法は，本質的には対角線論法の一種である。

オッペンハイマーは，この結果を，「ゲーデルは人間の理性の限界を示した」と評した。

この結果をどうとらえたら良いかは，それぞれの人生観による。「結局すべてがわからないのだから，真実を追究するのは無意味だ」と考える人もいるだろう。一方，「いくら汲み尽くそうとしても汲み尽くせない。だから人生は面白いのだ」と考えることもできる。

6．4 順序数と選択公理

自然数1，2，3，…は，1個，2個，3個というように個数を数えるときにも用いられるが，1番目，2番目，3番目というように順序を表すときにも用いられる。その意味で，自然数1，2，3，…と0を合わせて（有限）順序数という。

順番は有限を超えてもっとつけていくことができる。自然数が全部並び終わったら次の順番はω番目である。ここで，ωは，ギリシャ文字のオメガである。その次は$\omega+1$，$\omega+2$，…。こうしてどんどん考えられる，順序を表す数を**順序数**とい

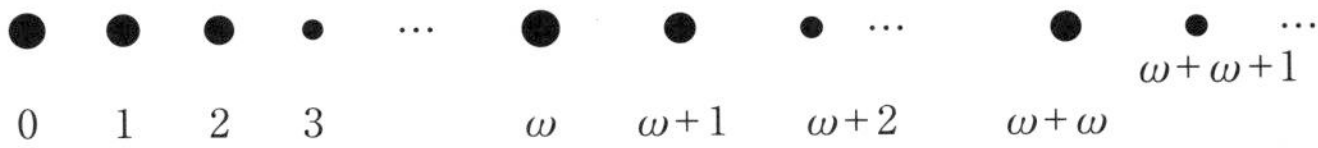

図 6-5　**順序数**

う。また，このように有限のステップを越えてどんどん定義していく方法を**超限帰納法**という。

順序数は，1列に並んでいるので，順序数どうしは比較できる，すなわちどんな2つの順序数α，βを取ってきても必ず，$\alpha<\beta$，$\alpha=\beta$，$\alpha>\beta$の3つのうちいずれかが成立する。

集合Aは，順序数を用いて要素の間に順番がつけられるとき，**整列可能**であるという。

どんな集合も整列可能であるという命題を**整列可能定理**という。

今まで，個数が等しいかどうかを中心に議論してきて，個数の大小関係をきちんと定義してこなかった。まず，個数を表す記号から出発し，個数の大小関係を定義しよう。

集合Aの個数を$|A|$と表す。すると，$|A|=|B|$とは，うまく規則を定めると集合Aの要素と集合Bの要素の間に1対1対応がつくということだった。2つの集合A，Bが与えられたとき，Aの個数がBの個数以下（記号で表すと，$|A|\leqq|B|$）であるというのを，Bの部分集合B'があって，$|A|=|B'|$が成立することと定義する。すなわち，うまく規則を定めると集合Aの要素とBの部分集合B'の要素の間に1対1対応がつくことだと定義する。

最後に$|A|<|B|$とは，$|A|\leqq|B|$かつ$|A|\neq|B|$であることと定義する。すなわち，Bの部分集合B'があって，うまく規則を定めると集合Aの要素と集合B'の要素の間に1対1対応がつく。

しかし，AとBはどのように規則を定めても1対1対応がつかないことと定義する。

さて，どんな2つの集合A，Bを取ってきても$|A|<|B|$，$|A|=|B|$，$|A|>|B|$のいずれかが成立するだろうか。

上で述べた整列可能定理を認めれば，A，Bはそれぞれ，順序数を用いて順番がつけられる。Aの要素に順番をつけるときと，Bの要素に順番をつけるときで，0，1，2，…から始めて，どこまでの順序数を用いたかを比較する。この比較が可能なのは，順序数が小さい順に1列に並んでいるからである。そして，このとき，例えばもし，Bを並べるときの方が順序数をたくさん用いたとすると，$|A| \leqq |B|$という個数比較ができる。

ここで，$|A|<|B|$ではなく，$|A| \leqq |B|$というように等号が付いていることに注意しよう。使った順序数の集合が違っても，個数が同じということがあるからである。例えば，有限順序数（すなわち，0以上の整数）の集合$A=\{0, 1, 2, 3, \cdots\}$と，次の順序数ωの1つをつけ加えた集合$B=A \cup \{\omega\}=\{0, 1, 2, 3, \cdots, \omega\}$は，集合としては異なるが，要素の個数は同じである（5.9節の$1+\alpha=\alpha$を思い出そう）。

同様にもし，Aを並べるときの方が順序数をたくさん用いたとすると，$|A| \geqq |B|$という個数比較ができる。以上で，もし，整列可能定理が成立したならば，どんな2つの集合A，Bをもってきても，$|A| \leqq |B|$または，$|A| \geqq |B|$が成立することがわかった。したがって，このとき，もし，$|A| \neq |B|$ならば，$|A|<|B|$または$|A|>|B|$がわかる。

それでは果たして，整列可能定理は成立するのだろうか。

驚くべきことに，整列可能定理は次の**選択公理**という実に抽象的な命題と同値なのである。

選択公理

集合を要素とする集合（**集合族**ということが多い）$\{X_\gamma, X_{\gamma'}, X_{\gamma''}, \cdots\}$ が与えられたとき，各集合から一斉に1つずつ要素を選ぶ関数fが存在する。

もう少し詳しく言うと，$\gamma \in \Gamma$ を添字とする集合族$\{X_\gamma : \gamma \in \Gamma\}$が与えられたときに$\Gamma$を定義域とする関数$f$で，任意の$\gamma \in \Gamma$に対して$f(\gamma) \in X_\gamma$をみたすものが存在するということである。ただし，このことを理解できなくても一向に構わない。

私たちの数学は普通，選択公理が成立するものとして進められる。

しかし，ひとたび選択公理を認めると，次節のバナッハ－タルスキーのパラドクスのような不思議な命題も認めなければいけなくなる。

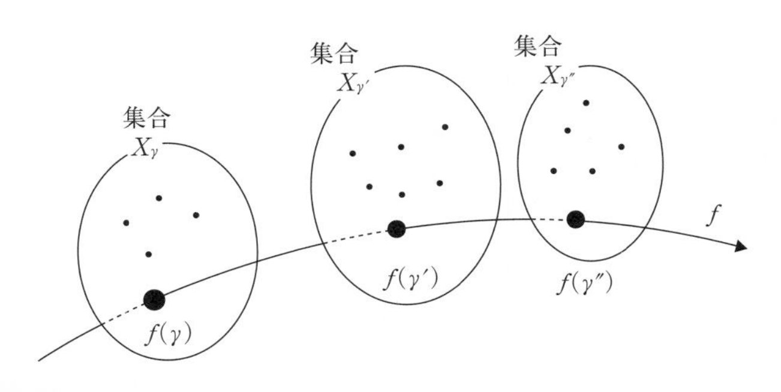

図 6-6　選択公理

6.5　1つの球が2倍に——バナッハ-タルスキーのパラドクス

バナッハ(1892-1945) と**タルスキー**(1901-1983) はともにポーランドの数学者である。当時ポーランドでは数学の基礎的分野で世界の最先端の研究を行っていた。スコティッシュ・カフェという名の喫茶店があって，そこでバナッハ，ウラム，マズールら当時の若手がしょっちゅう集まって何時間も議論したというのは伝説的である。バナッハが厚いノートを持ちこみ，議論した問題を記していくことになった。そのノートはコーヒーを注文するとウェーターが一緒に持ってきた。そしてそのとき出された未解決問題が後にスコティッシュ・ブックという本になった。中には出題者からワイン1瓶，生きたガチョウ1羽などという賞が賭けられた問題もあった。

1924年，２人は次の発見をした。球の表面と内部を合わせた立体を球面と区別して**球体**とよぶことにしよう。

バナッハ-タルスキーのパラドクス

半径1の球体を用意しよう（図6-7)。そして，その球体をあるうまい方法で有限個に分解する。そしてそれぞれのかけらに合同変換（回転と平行移動）を施し，カチャッと組み合わせなおすと，もとと同じ半径1の球体が２つでき上がる。

例えば球体を９個に分け，そのうち４個と５個をそれぞれ組み合わせると隙間のないもとと同じ球体が２個できるというわけである。最初の球に比べて，でき上がりは体積が２倍になっている。そんなことは不可能だと思われるだろう。しかし，こ

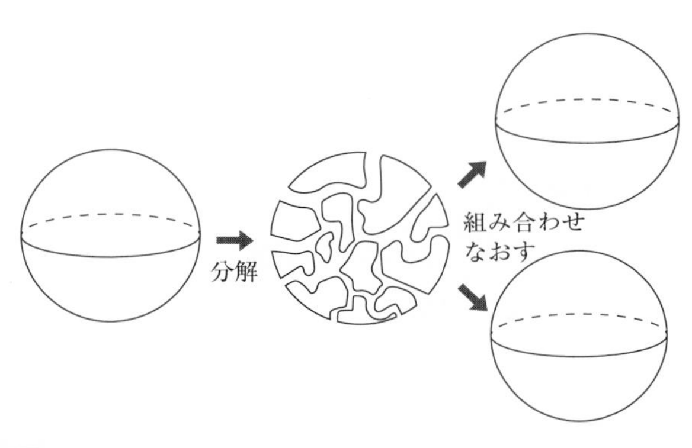

図6-7　1つの球が2つに

れは矛盾していないのだ。

どんな集合も体積を測れるわけではないのである。球体をかけらに分けたとき，体積が測定不可能なものに分けたのだ。体積が測れないので，組み合わせなおしてどんな体積になっても矛盾しないのだ。

この定理は選択公理を用いて証明される。このことから，こんな変なことが証明できるのだから，選択公理はひょっとして間違っているのではないかという見方もある。

連続体仮説同様，選択公理は，選択公理を除いた私たちの数学からは否定も肯定もできないことが知られている。現在，選択公理と全く異なり，選択公理と矛盾するような公理系をもつ世界も，可能な世界の1つとして研究されている。

第 7 章

巨大な無限

7．1　集合論の危機——いくらでも大きな個数があるか？

集合が与えられたとき，その部分集合の個数はどうなるだろうか。例えば3つの要素からなる集合$X=\{1, 2, 3\}$の部分集合の個数を調べよう。このようなときには図7-1のような表を作ってみるとよくわかる。

Xの部分集合Aに対して0，1からなる3つの数字の列χ_Aを対応させるのである。0，1のかわりに×，○でも良い。例えばXの部分集合$A=\{1, 3\}$に対しては，$\chi_A=(1, 0, 1)$が対応する。χ_Aの1番目と3番目の1は，1と3がAに入っていることを示し，2番目の0は，2がAに入っていないことを示している。一般に$\chi_A=(x_1, x_2, x_3)$のx_iは，iがAに入っていれば1，iがAに入っていなければ0である。

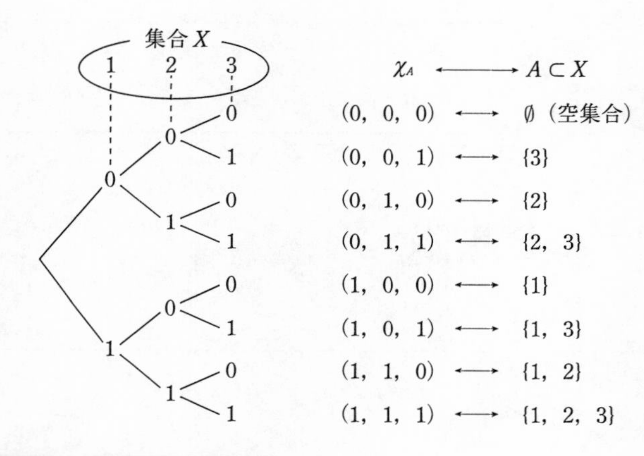

図 7-1　部分集合の個数

このようにXの部分集合全体と0，1からなる3つの数字の列全体が1対1に対応している。0，1からなる3つの数字の列全体の個数は，2^3なので，Xの部分集合全体も2^3個となる。

一般に，個数が有限のn個である集合の場合，その部分集合全体の個数は2^n個であり，もとの集合の個数よりも大きくなる。

それでは，この事実はもとの集合の要素の個数が無限個であったとしても同じように成立するのだろうか。お気づきになった方もあるかもしれない。無限の場合も成立するのである。カントールの対角線論法を真似てそれが証明できる。

簡単のため，自然数全体の集合Nの部分集合全体の個数がNの個数（＝可算個＝α 個）より大きいことを示そう。先ほどX＝{ 1, 2, 3 } の部分集合を調べたときと同様に，Nの部分集合Aは0，1の数列 χ_A で表される。例えば，A＝{ 2, 4, 6, … } という部分集合に対応する0，1の数列χ_Aは$\chi_A=(0, 1, 0, 1, 0, 1, \cdots)$である。一般に数列$\chi_A$の$n$番目の0は，$n$が集合$A$に入っていないことを示し，$n$番目の1は，$n$が集合$A$に入っていることを示す。したがってこの場合，$\chi_A$の1番目の0は，1が$A$に入っていないことを示し，2番目の1は，2が$A$に入っていることを示す。3番目の0は，3が$A$に入っていないことを示し，4番目の1は，4が$A$に入っていることを示す，…。

自然数の部分集合には，各自然数nに対して，nという1つの要素だけからなる集合$\{n\}$もあり，それらはnを動かすと，もちろん自然数の個数だけ出てくる。したがって自然数の部分集合の個数は自然数の個数以上であることに注意しておく。今，もし自然数の集合Nの部分集合の個数がNの個数以下，すなわち可算個以下だったとしよう。今の注意より，このとき，自然数の集合Nの部分集合の個数はちょうど可算個，すなわち自然数の個数となる。したがって自然数の部分集合全体は，A_1，A_2，A_3，…と番号がつけられる。ただし，各A_iは要素を小さい順に並べて，例えば

$$A_1=\{2, 4, 6, \cdots\}$$
$$A_2=\{2, 3, 5, \cdots\}$$
$$A_3=\{1, 2, 5, \cdots\}$$
……………

のようにしておこう。このとき，各部分集合に対応する0，1の数列は

$$\chi_{A_1} = (0, 1, 0, 1, 0, 1, \cdots)$$
$$\chi_{A_2} = (0, 1, 1, 0, 1, \cdots)$$
$$\chi_{A_3} = (1, 1, 0, 0, 1, \cdots)$$
………………

となる。カントールの対角線論法と同様の方法で，この表に出てこない，0，1の数列sを作ろう。それには，数列sのn番目の数字をχ_{A_n}のn番目と異なるように取れば良い。この場合には$s = (1, 0, 1, \cdots)$とすれば良い。もう少し詳しく言うと，sの１番目は，χ_{A_1}の１番目の数0と異なるように，sの２番目は，χ_{A_2}の２番目の数1と異なるように，sの３番目は，χ_{A_3}の３番目の数0と異なるように，…という調子である。

そして，数列sに対応するNの部分集合$A = \{1, 3, \cdots\}$を考える。$\chi_A = s$はどんなχ_{A_1}，χ_{A_2}，χ_{A_3}，…とも異なるので，Aは，A_1，A_2，A_3，…のどれとも異なる。したがって，A_1，A_2，A_3，…は，Nのすべての部分集合のリストではないことになり矛盾する。ゆえにNの部分集合の個数は可算個より多い。

自然数全体の集合Nに対してのみ示したが，全く同じ方法で，一般にどのような集合Xに対してもその部分集合全体の個数は，もとの集合Xの個数より大きいことがわかる。

これより，どんな個数κに対しても，それより大きな個数λが存在することがわかる。なぜならば，個数κである集合Xを考え，その部分集合全体の個数をλとすればよい。したがって最大の個数というものはないことがわかる。

この考えをもう少し推し進めると深刻な矛盾におちいる。すべての集合を集めてきた集合というのを想像しよう。そのようなものが存在するとして良いのだろうか？　もし，すべての集合を集めてきた集合Vが存在したとする。もし，Vを集合とよぶことができるのならば，Vに含まれている要素の個数が調べられるはずである。その個数をκとしよう。するとその部分集合全体の個数はκより大きいはずである。ところがVはあらゆる集合を集めてきた集合だから，Vのどのような部分集合もすべてVの要素であるはずである。しかしVにはκ個の要素しか入っていない。したがって，Vのすべての部分集合はVの中には入りきれない。これは矛盾である。これはカントールが発見したパラドクスである。

すべての集合を集めてきた集合を考えると矛盾が生ずる。この事実で集合論はパニック状態におちいった。ラッセルなどによって，このパラドクスはさらに分析され，ひょっとして私たちの数学自体が矛盾を含むのではないかと大論争になった。しかし，その後，「集合全体の集合」のようなものは集合と考えず，あるルールにしたがってできるものだけを集合と考えることによって現代集合論は救われた。すべての集合全体Vのようなものは**領域（クラス）**とよび，集合としては扱わないようにする。そして，空集合から出発して，小さなものからだんだん作り上げていったものだけを集合として扱うのである。そうすれば，このような矛盾は避けられる。

7.2 巨大な個数——無限ラムゼイ問題

巨大な個数（専門用語では**巨大濃度**あるいは**巨大基数**）の表（図7－2）をごらんになると面白い。何のことかわからないと思うが，とりあえず鑑賞してみよう。

この表に現れる巨大な個数は，上に行けば行くほど大きくなる。1番小さいのが「到達不可能個数」，上へと目を移してい

0＝1

超膨大個数

膨大個数

ほとんど膨大個数

超コンパクト個数

強コンパクト個数

可測個数

ラムゼイ個数

弱コンパクト個数

到達不可能個数

図7-2
巨大な個数

くと，だんだん大きくなって，「弱コンパクト個数」，「可測個数」，「超コンパクト個数」，「膨大個数」，…などがあり，頂上が0＝1である。これは一体何の表なのだろうか。

巨大な個数とは，現在我々が知っているあらゆる数学的手段（ZFC集合論）を用いてもその存在が証明できないものである。なぜならば，ゲーデルのLという，構成可能集合全体のクラスとよばれるZFC集合論のモデルでは，そのようなものが存在しないからである。したがって，巨大な個数の存在は現在のところ私たちの直観で，そんなものがあるかもしれない，あったら面白いと感じているだけのものである。どこか遠い世界のお話で，自分たちとは無縁のような気がする。しかし，その存在を仮定すると，巨大な世界だけでなく，私たちの身近な数学にも影響が現れることが知られている。

図7－2に現れる個数は，上に行けば行くほど大きくなるとのことだった。それでは頂上の0＝1は何だろう。0＝1は，矛盾を表し，論理学ではひとたび矛盾が生じればどんな命題も証明できてしまうことが知られている。したがってもし0＝1が正しければあらゆる個数の存在が正しいのである。また，この頂上の0＝1は，あまりに巨大な個数を考えるといつか矛盾が生じてしまうという警告の意味もあるかもしれない。

ここでは弱コンパクト個数だけを紹介しよう。弱コンパクト個数の定義はそんなに難しくない。2.3節のラムゼイ問題を思い出してみよう。そう，それはパーティーと関わっていた。6人がパーティーに集まったとすると，…というあの問題だ。そこでは，有限の個数に対するラムゼイの定理を述べた。ラムゼイの定理は人の数が可算個のときも成立する。すなわち，自然数と1対1対応する，無限の人数がいたとしよう。このとき，その一部の無限の人たちをうまく見つけると，それらの人はすべて知り合いであるか，すべて知り合いでないかになっている。有限のラムゼイの定理と同様，図7－3の頂点1，2，3，…を辺で結び，それらを色で塗る問題と考えても良い。頂点のペアをすべて赤（＝実線）か青（＝点線）の線で結ぶ。このとき自然数の集合$N=\{1, 2, 3, \cdots\}$のある無限個の部分集合Aをうまく取ると，Aの2頂点を結ぶ線がすべて赤（＝実線）か，Aの2頂点を結ぶ線がすべて青（＝点線）かになっている。

無限ラムゼイ理論の一種は，1998年にフィールズ賞を受けた**ガワーズ**(1963－）のバナッハ空間の理論でも大活躍した。

それでは可算個よりもっと大きな個数κに対してこの性質は成り立つだろうか。すなわち，可算個より大きい個数κで，「κ個の頂点の集合Xを考え，Xの頂点のすべてのペアを赤か青の線で結ぶとき，Xの

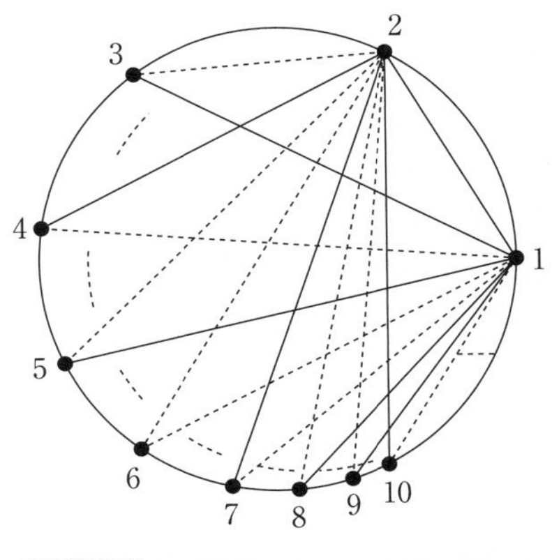

図7-3　可算個に対するラムゼイ問題

部分集合Aで，個数κのものをうまく取ると，Aの２頂点を結ぶ線がすべて赤か，Aの２頂点を結ぶ線がすべて青かになっている」という性質をみたすものがあるだろうか。可算個より大きな，そのような性質をみたすκが，巨大個数の表の中にある**弱コンパクト個数**である。

果たして弱コンパクト個数が本当に存在するか，あるいは，本当は存在しないか。それがわかる日がいつかくるのだろうか。

第 8 章

次元も無限になる？

8．1 次元とは何？

次元とは何か。直観的に言うと，点は，その上に住んでいる人は動けないので0次元であり，線は，その上の住民が前後の方向に動けるので1次元。面は，住民が前後と左右の方向に動けるので2次元である。

私たちは空間に住んでいると考えても良いし，空間と時間を

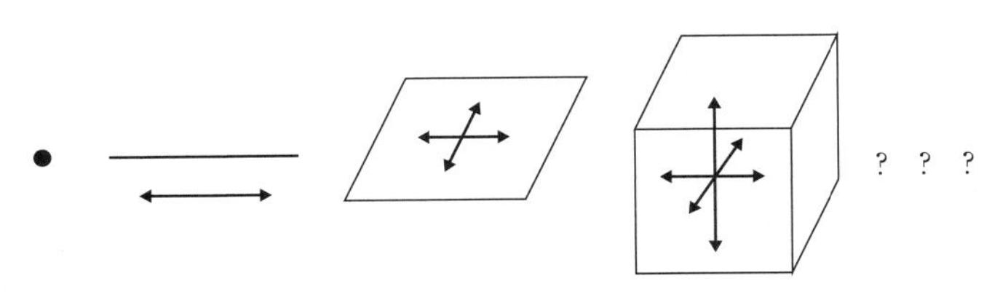

図 8-1　次元とは動ける方向の数

合わせた**時空**に住んでいると考えても良い。空間は前後，左右，上下の方向があるので３次元，時空は，前後，左右，上下，過去未来があるので４次元である。私たちは子どもの頃，４次元の世界とはどんなものか，わくわくして想像したものだ。

一般にn次元の世界とはn次元ユークリッド空間$R^n = \{(x_1, x_2, \cdots, x_n) : x_1, x_2, \cdots, x_n \text{は実数}\}$のように$x_1$軸，$x_2$軸，$x_3$軸，…，$x_n$軸という$n$個の方向に動ける世界である。

だいたいこの説明で納得したつもりになってしまう。ところがよく考えると例えば，平面は２次元というけれども東西，南北の２つの方向以外にも図8-2のように，北東・南西という方向があるではないか，という反論が可能である。

平面のようなベクトル空間の場合はこの反論に答えるのはそれほど難しくない。平面や，ユークリッド空間の場合には，次元というのは，それに含まれる**１次独立（線形独立）**なベクトルの最大個数である。

n個のベクトル$\boldsymbol{a}_1, \boldsymbol{a}_2, \cdots, \boldsymbol{a}_n$が１次独立とは，$\lambda_1 \boldsymbol{a}_1 + \lambda_2 \boldsymbol{a}_2 + \cdots + \lambda_n \boldsymbol{a}_n = 0$ならば$\lambda_1 = \lambda_2 = \cdots = \lambda_n = 0$であることであった。言いかえると，$\boldsymbol{a}_1, \boldsymbol{a}_2, \cdots, \boldsymbol{a}_n$のどのベクトルも，

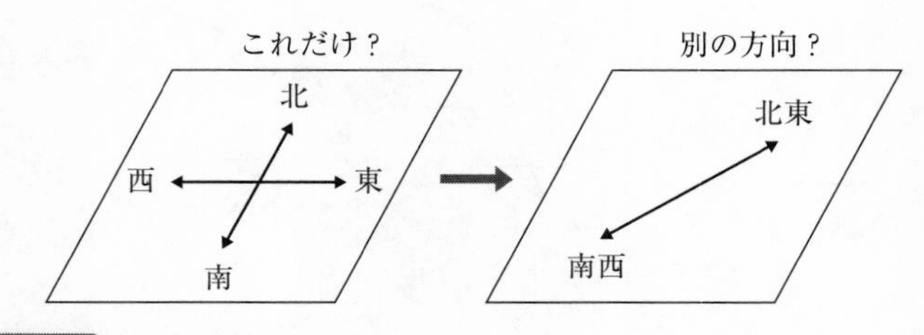

図8-2 **他にも方向が**

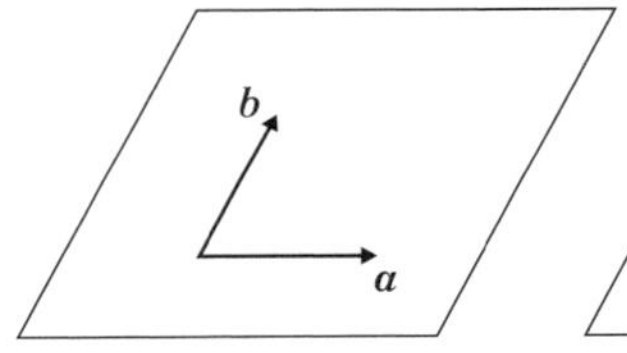

$\boldsymbol{a}$，$\boldsymbol{b}$ は1次独立
すなわち
$\boldsymbol{a} = \lambda \boldsymbol{b}$ とも $\boldsymbol{b} = \lambda \boldsymbol{a}$
とも表せない。

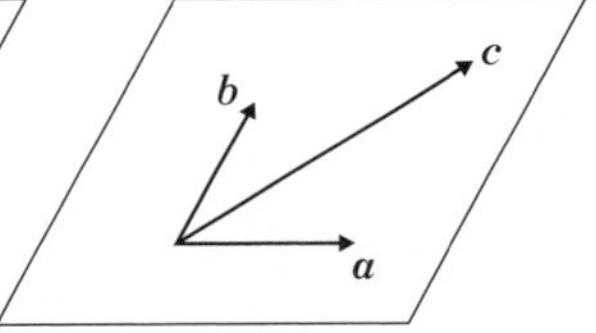

$\boldsymbol{a}$，$\boldsymbol{b}$，$\boldsymbol{c}$ は1次独立でない
なぜならば
$\boldsymbol{c} = \lambda_1 \boldsymbol{a} + \lambda_2 \boldsymbol{b}$
と表せる。

図8-3　**平面の次元は2**

それ以外の$n-1$個のベクトルの1次結合として表せない（すなわちほかの$n-1$個のベクトルの実数倍を足し合わせて作れない）ことであった。平面の次元が2であることは図8－3からわかる。

8．2 次元をとらえる

前節で，ユークリッド空間の次元は1次独立なベクトルの最大個数であることを述べた。それでは曲がっている図形や，複雑な図形の次元は一体どのようにとらえたら良いだろうか。ここまで来ると今までの議論ではすまなくなり，次元に対する深い考察が必要になってくる。

次元とは何か，それをどうとらえたらよいか，については昔からいろいろ議論があった。ここではその2つを紹介しよう。

図形の部分集合でその境界をすべて含むものを，その図形の**閉集合**という。例えば曲線の閉集合とは図8－4の（a）のようなもので，曲面の閉集合とは図（b）のようなものである。

次元のとらえ方の1つ目は，**被覆次元**という考え方である。

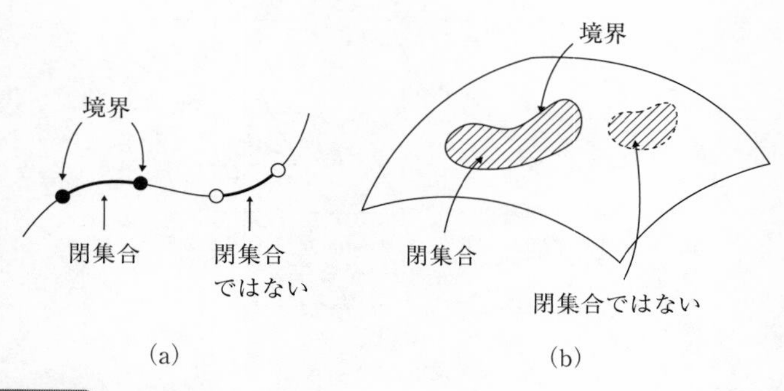

図 8-4　**閉集合**

その図形を細かな閉集合に分割しようとしたときの重なり具合を調べるのだ。

例えば円周がなぜ１次元で，球面がなぜ２次元なのか考えてみよう。

図形Xの次元がn以下とは，どんな細かさ[6)]が与えられても，その図形Xを，その程度細かな有限個の閉集合F_1，F_2，…，F_kの和$X = F_1 \cup F_2 \cup \cdots \cup F_k$として表し，$X$のどの点も$F_1$，$F_2$，…，$F_k$の中の多くても$n+1$個に含まれるようにできることである。

例えば点は０次元以下（なので０次元）である。なぜならば$X = \{p\}$を点とすると，図8-5 (a) のように，Xは$F_1 = X$という１つの集合の和集合として表せ，もちろんXの点pは$0+1=1$個のF_1にしか含まれない。「細かさ」に関する条件が気になるが，１点はいくらでも小さいと考えられるので問題な

6)　細かさの厳密な与え方には触れないことにする。長さとか大きさの指定だと思って良い。もし，次元の定義に，「細かさ」を取り入れないと，どんな図形Xもたった１つの閉集合Xの和となるので，０次元になってしまう。

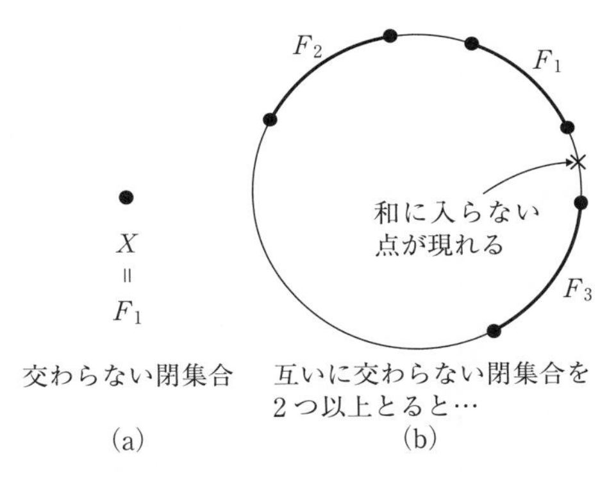

図8-5　**0次元**

い。

それでは円周も0次元以下か。もし，細かさという条件がなければ，1点の場合と同じだが，今度は「細かさ」の条件に引っかかる。例えば半径が1の円周だとすると，長さが1以下の閉集合という細かさの条件が与えられたとき，1つの閉集合では済まない。もはやXが，閉集合F_1，F_2，…，F_kの和$X = F_1 \cup F_2 \cup \cdots \cup F_k$として表され，$X$のどの点も$F_1$，$F_2$，…，$F_k$の中の多くても$0 + 1 = 1$個に含まれるというわけにはいかなくなる。どの点も多くても1個に含まれるという条件は，閉集合がお互いに交わらないことを表している。円周を，交わらない2つ以上の有限個の閉集合の和として表すことは不可能である。図8－5（b）のように，円周上に交わらない閉集合を2つ以上，有限個描くと，必ずそこに入っていない点が出てくるからである。このことは円周が0次元以下ではないことを示している。したがって円周は1次元以上である。

円周を，2つ以上の有限個の交わらない閉集合の和で表すこ

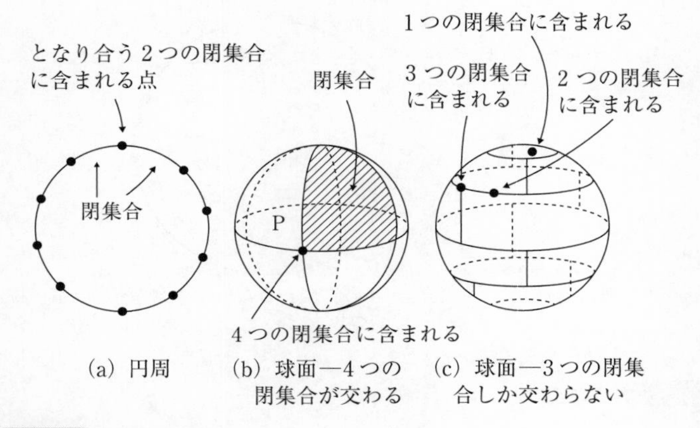

図 8-6 **円周，球面**

とは無理でも，そんなに見捨てたものではない。ちょっとだけ交わるような閉集合の和として表すことが可能である。図8-6 (a) のようにどんな点も多くても１＋１＝２個の閉集合に含まれるような分け方は可能である。このような分け方はどんなに細かくもできる。したがって円周は１次元以下である。以上より円周は１次元以上，１次元以下，したがって１次元である。

それでは球面はどうだろうか。球面を閉集合の和として表してみよう。図8-6 (b) では点Pで４つの閉集合が重なっている。もう少し重なりが少ないようにできないだろうか。図8-6 (c) のようにすると，多くても３つしか重ならないようにできるので球面は２次元以下であることがわかる。球面がなぜ１次元以下でないかは複雑なので説明しないが，それは知られていて，以上より球面は２次元になる。閉集合に分けたときの重なり具合ということで次元が定義できるという感じをつかみとっていただけただろうか。

次元のとらえ方のもう1つは，**帰納的次元**という考え方である。次元を数学的帰納法を用いて定義するのである（図8-7）。例えば点が0次元であることを認めたとしよう（a）。すると1次元以下というのはどんな点Pを取ってもその点を内部に含む集合で，その境界の次元が0次元以下であるものが，いくらでも小さく[7] 取れることである（b）。次に2次元以下というのはどんな点を取ってもその点を内部に含む集合でその境界が1次元以下であるものが，いくらでも小さく取れることである（c）。

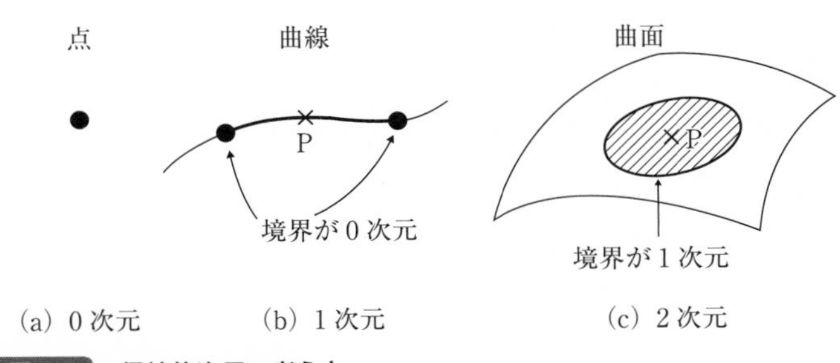

図8-7　帰納的次元の考え方

8.3 次元の違いは何を引き起こすか

次元が違うとどんなことが起こるのか。次元の感覚を経験するために，私たちがもし，今住んでいる3次元の世界ではな

7) もし，いくらでも小さくという条件がなければ，どんな図形 X もそれ自身の中では境界は空集合と考えられるので，0次元になってしまう。

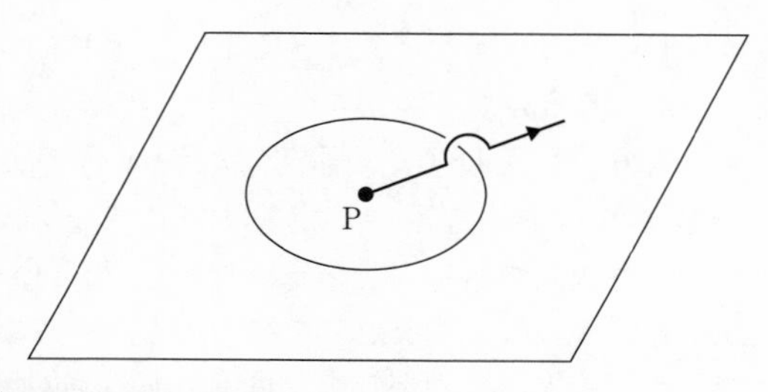

図 8-8　**囲いから飛び出す**

く，２次元の世界にいたとしよう。そして自分（点P）が図8-8のような線（円周）で囲まれていたとする。円周の一部を切って開かない限り，どんなにがんばっても決して，線を越えて外に出ることはできない。それは自分の住んでいるところが２次元だからだ。しかし，あるとき科学が進み，世界に本当はもう１次元あることを知った。そしてもう１つの次元に飛び出すことができるようになった。そうとわかったならば線の方向に進み，線にぶつかる直前にひょいと第３の方向へ飛び，再びもとの世界に戻ってくれば良い。そうすれば難なく線を飛び越えられる。

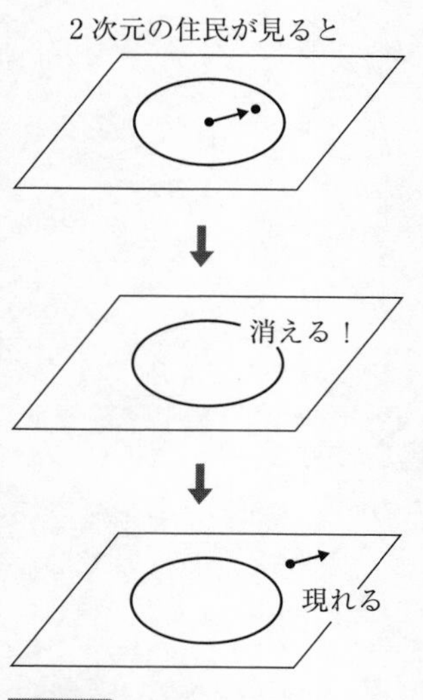

図 8-9　**消えて現れる**

このとき２次元の世界にいる住民から見ると，図8-9のように，一瞬Pが消えてしまったことになる。そしてまた，そばの地点にすぐ現れる。

SFに，タイム・マシンで過去や未来を旅行する話がある。もし将来，私たちの科学が発達して時間軸を自由に動くことができるようになったとしたらどうなるだろうか。想像力を働かせて，図8－8の平面を私たちの空間，上下方向を時間軸としてみよう。閉め切った家の中にいた人が，時間軸方向へピョンと飛んで家の外に出ることができそうだ。家がさっきの円周の囲いに対応するからだ。その時，家の中にいた目撃者は，一瞬のうちにその人が消えたのにびっくりする。そして何気なく窓から外を見ると，突然現れるのにもう１度びっくりするだろう。

次元の違いが何をもたらすか，もう１つ考えてみよう。荷物を縛ったりするときに図8－10のような結び目を作る。

この結び目はほどけるだろうか。もちろん図8－11のようにすればほどける。

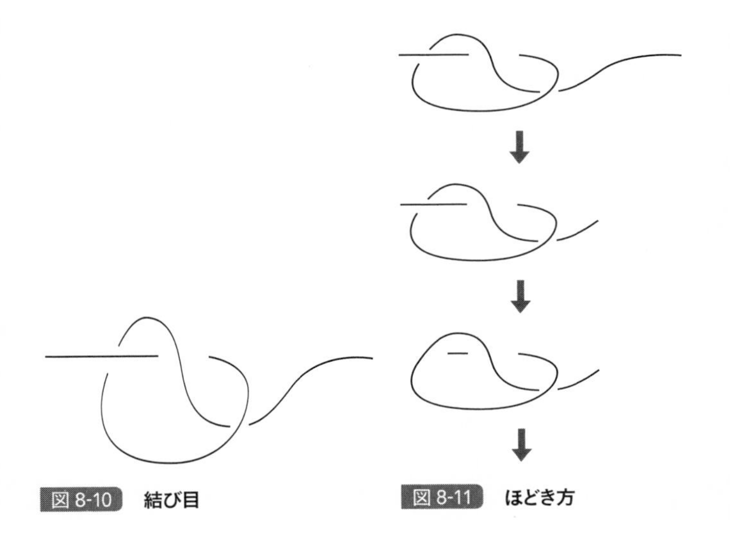

図 8-10　結び目

図 8-11　ほどき方

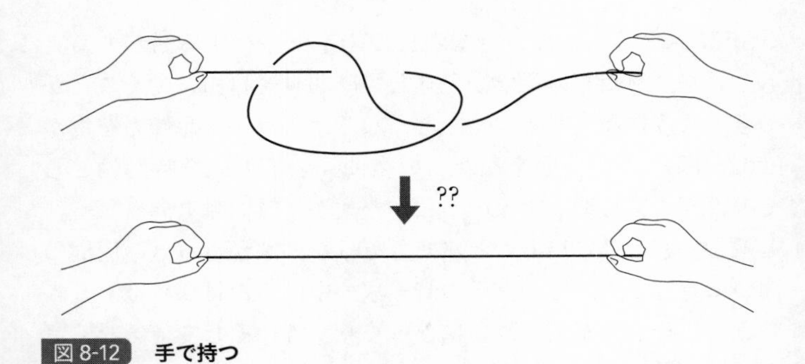

図 8-12　手で持つ

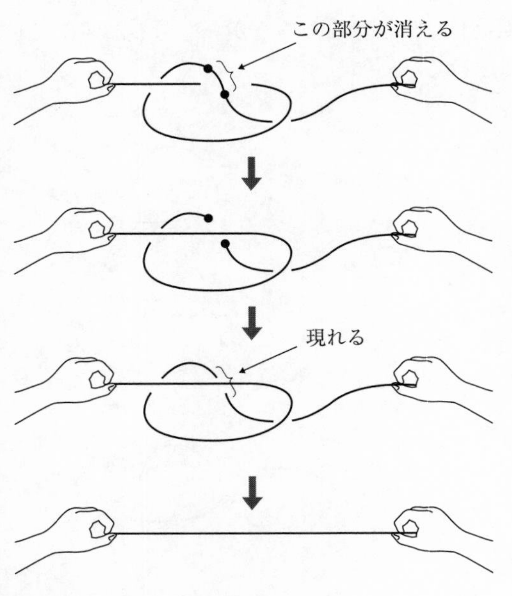

図 8-13　ほどきのスローモーション

こんなことを議論したかったのではない。図8－12のように，例えば両端を誰かに手で持ってもらって，手に持っていてもらった部分を固定したままほどけるかどうかと聞きたかったのだ。

さあ，この結び目はほどけるだろうか。私たちが3次元にいる限りほどけない。はさみで切ってつなぎ合わせない限りほどけない。

しかし，もし私たちが4次元の世界にいて，結び目をちょっと第4の方向に動かすことができたら，図8－13のように，上にあった1本の線を4次元方向に持ち上げて，もう1本の下に持ってくることができる。はさみで切ってつなげ直したのと同じ効果が得られるのである。

8．4　無限次元とはどんなもの？

n次元ユークリッド空間R^nとは，$(x_1, x_2, \cdots, x_n)$という，n個の実数列の集合である。$n=1, 2, 3$のときは，n次元ユークリッド空間とは，それぞれ，数直線，平面，空間のことであ

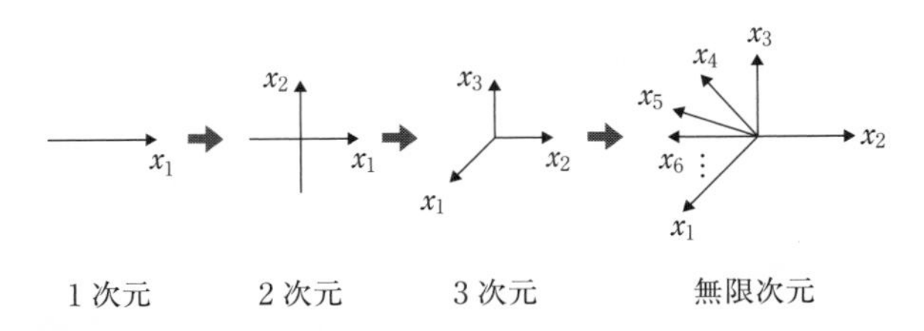

図8-14　無限次元ユークリッド空間

る。$n=4$のときは，(x, y, z, t) と考え，４番目の座標を時間と考えて，空間と時間を合わせた時空として物理学で扱われることも多い。この調子でいくと，無限次元ユークリッド空間R^Nとは多分，$(x_1, x_2, \cdots, x_n, \cdots)$ という実数の数列の集合と考えられるだろう。ここで，R^Nのベキを表しているNは，自然数全体の無限集合を表している。R^NはR^∞と表すこともある。

残念ながら，R^Nそのままでは，ベクトルの大きさとか点どうしの距離が測れない。例えばベクトル (1, 1, 1, …) の大きさは，$\sqrt{1^2+1^2+1^2+\cdots}=\infty$となってしまい都合が悪い。そこで，$R^N$の要素で，大きさ$\sqrt{x_1^2+x_2^2+x_3^2+\cdots}$が有限の値に収束するものだけを集めてきた**ヒルベルト空間**を扱うことも多い。ヒルベルト空間はl^2と表す。l^2の右肩の「2」は，ベクトルの大きさを，２乗の和の２乗根（＝平方根）を取って定義していることを表す。ヒルベルト空間l^2は，ある意味ではR^Nとまったく同じであることが知られている[8)]。したがって，ヒルベルト空間も無限次元である。

無限次元はなぜ必要か。具体的にはどんなものが無限次元か。

想像しにくいが，現代数学，現代科学では，無限次元を避けて通れない。

上で述べたように，数列全体の集合は無限次元である。また，実数xに実数yを対応させる微分可能（あるいは連続）関数全体も無限次元である。図8－15のように無限個のxのとこ

8) l^2とR^Nは同相である。すなわち，l^2からR^Nへの１対１対応fで，fもf^{-1}も連続であるものがある。

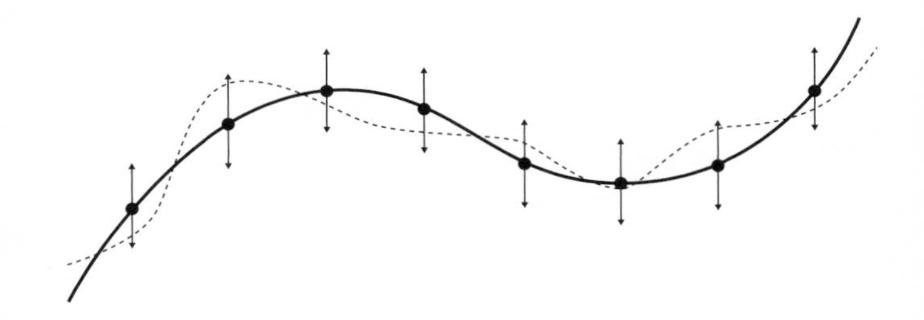

図 8-15　**無限の自由度**

ろで値yが自由に変化できるからである。

同じ理由で空間内の曲線全体の集合も無限次元である。

閉区間［$-\pi$，π］でなめらか（すなわち，$f'(x)$ が連続）な関数 $f(x)$ は，

$$f(x)=\frac{a_0}{2}+\sum_{n=1}^{\infty}(a_n\cos nx+b_n\sin nx)$$

とフーリエ級数に展開できる。そして関数の 1，$\cos x$，$\cos 2x$，…，$\sin x$，$\sin 2x$，…をある意味でベクトルと考えると，これらは無限個の１次独立なベクトルであることがわかる。したがって，フーリエ級数の世界は無限次元のベクトル空間である。カントールが無限を数える方法を発見したのは，フーリエ級数の研究を通じてであった。

物理の１分野で，原子や電子の振る舞いを調べる量子力学も，このような無限次元の世界の話である。

無限次元だとどんな不思議なことが起こるか？　例をあげよう。

一般に集合Xと集合Yの直積$X\times Y$とは，

$$X \times Y = \{(x, y) : x \in X,\ y \in Y\}$$

を表すことにする。$I = [0,\ 1]$ を単位閉区間とすると，$I^2 = I \times I$は，正方形を表し，$I^3 = I \times I \times I$は，立方体を表す。この勢いで，$N$を自然数の集合とするとき，

$$I^N = \{(x_1, x_2, \cdots, x_n, \cdots) : \text{各}\, n \in N \text{に対して}\, x_n \text{は実数で}\, 0 \leqq x_n \leqq 1\}$$

が考えられる。これは**ヒルベルト立方体**とよばれる。

例えば，IとI^2は，それぞれ区間と正方形で，異なる図形である。これらと区間Iとの直積を取ってみよう。すると，$I \times I = I^2$は，正方形であり，$I^2 \times I = I^3$は，立方体であり，異なる図形となる。ところが，ここで無限次元のI^Nとの直積を取ったらどうなるか。自然数全体の集合Nの個数は可算個とよばれ，α個と表されたことを思い出そう。そして足し算の公式，$1 + \alpha = \alpha$があった。すると，$I \times I^N = I^1 \times I^\alpha = I^{1+\alpha} = I^\alpha = I^N$となる。同様に，$2 + \alpha = (1 + 1) + \alpha = 1 + (1 + \alpha) = 1 + \alpha = \alpha$より，$I^2 \times I^N = I^2 \times I^\alpha = I^{2+\alpha} = I^\alpha = I^N$となり，$I \times I^N = I^2 \times I^N$となってしまうのだ。$I$と$I^2$という異なる図形でも，ある共通の$I^N$という図形との直積を取ってしまうと同じ図形になってしまう，そんな不思議な現象が起こる（図8－16）。

個数の計算を途中で用いたが，それを用いなくても同じ図形であることを示せる。例えば$I^2 \times I^N$とI^Nの１対１の対応を直接書くと，

$$((x_1, x_2), (y_1, y_2, \cdots)) \mapsto (x_1, x_2, y_1, y_2, \cdots)$$

という自然な対応で，決して難しいものではない。

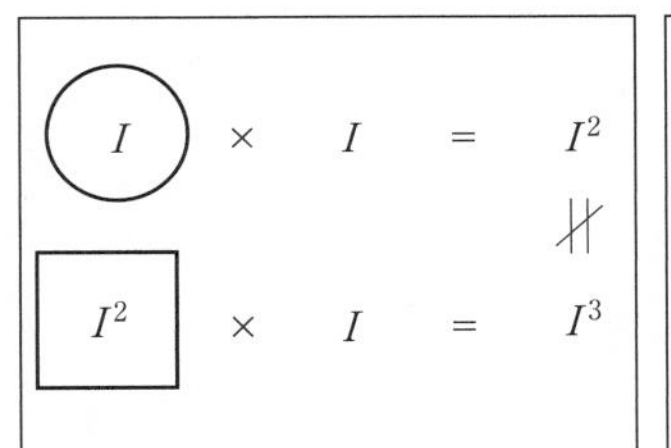

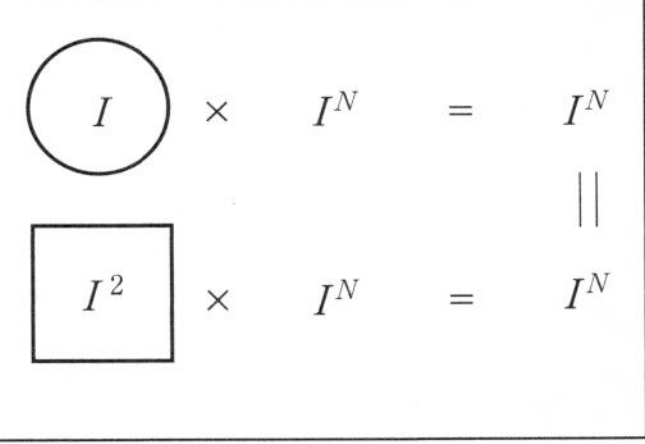

図 8-16　違うものも積を取ると同じものに

また，図8－17のように，線分I，正方形I^2，立方体I^3には境界（＝縁）がある。線分Iの境界は両端点，正方形I^2の境界はその周，立方体I^3の境界はその表面である。同様に，nが有限のときには，I^nには境界があることが知られている。ところが，ヒルベルト立方体I^Nでは，境界と思われるところが境界ではなくなっていて，あらゆる点が平等であることが知られている[9)]。

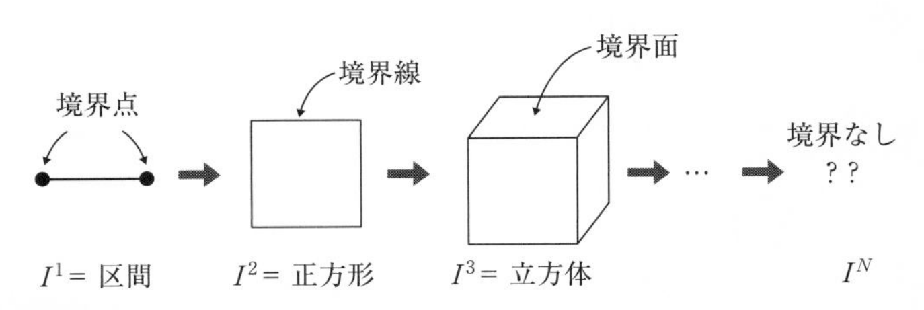

図 8-17　Iの直積の境界

9)　I^Nの任意の２点x，yに対して同相写像fで，xをyにうつすものが存在する。すなわち，１対１対応fで$f(x)=y$をみたし，fもf^{-1}も連続であるものが存在する。

おわりに

無限の哲学的考察から出発し，数学のさまざまな局面で，無限の風景をかいま見てきた。いかがだっただろうか。無限遠のはるかかなたから届く，光の粒たちの会話を聞き取っていただいただろうか。そして，豊かな無限そのものを感じ取っていただけただろうか。いろいろな感想があるだろう。

大きな数は，現実には因数分解できない。そのことが，現代の情報社会を支える暗号理論の基本だなんてはじめて知った。

数学的極限は難しかった。でも，ε-n論法への毛嫌いが少しほぐれた。

無限遠点が見つかった。放物線を遠くから実際に見て，円に見えることを確かめたい。

証明できないことを証明した。真であることも偽であることも証明できない命題があるなんて。

無理数は有理数よりたくさんあることにびっくりした。無限の個数も無限通りあるのだって？

この本は何を言いたかったのかなどと，深刻に考えなくて良い。カントールが言ったように，数学の本質はその自由性にあるのだから。

視点を変えるだけで，ものごとの見方が全く変わってしまう。そんなことを少しでも感じとっていただければ幸いである。

私たちの数学は少しずつ無限に近づいている。無限がだんだん，より深くとらえられるようになってきている。果たして一体人間は，どれだけ無限に近づけるのか。

参考文献

無限についてさまざまに思いを巡らせて来た。いかがだったろうか。さらに発展して勉強したい方のために参考文献とヒントをあげておこう。

なお，ブルーバックス版にあたり，追加参考文献を最後に加えた（[32]〜[35]）。参考文献の中には，絶版になっているものがあるかもしれないが，興味のある方は図書館で探してみていただきたい。

無限一般については，楽しい本がたくさんある。それぞれ，著者が自分なりに苦労して考え抜いた結果という感じで面白い。

[1]　A. W. ムーア著，石村 多門訳，無限――その哲学と数学（講談社学術文庫）（講談社，2012年）；A. W. Moore, The Infinite 2nd Edition, Routledge, 2001.

本格的であるが，一般の人が読んでも決して難しくなく，味わい深い。無限についてのいろいろなパラドクスから出発し，無限がギリシャ時代から現代に至るまで，数学的，哲学的にどのようにとらえられてきたかが述べられている。本書を書くに当たって，この本から多くのインスピレーションを受けた。

[2]　ミッドハット・ガザレ著，小屋 良祐訳，〈数〉の秘密――記数法と無限（青土社，2002年）；Midhat Gazalé, Number, Princeton University Press, 2000.

記数法の歴史から始まって，実数，連分数などを扱い，最後に無限の話へと到達する。

次の２つは，無限とは対極のゼロを論じているが，無限の話とも密接に関連していて面白い。

[3]　チャールズ・サイフェ著，林 大 訳，異端の数ゼロ――数学・物理学が恐れるもっとも危険な概念（ハヤカワ文庫NF）（早川書房，2009年）；Charles Seife, Zero—The Biography of a Dangerous Idea, Penguin Books, 2000.

ゼロ，無限小，無限大の，数学，物理学における意味を論じている。その語り口はユニークである。

[4]　ロバート・カプラン著，松浦 俊輔訳，ゼロの博物誌（河出書

房新社，2002年）; Robert Kaplan, The Nothing That Is—A Natural History of Zero, Oxford University Press, 1999.
✏ ゼロの発見の歴史に詳しい。

無限やゼロに関する，手軽にやさしく読める入門書には次のようなものがある。

[5]　遠山 啓，無限と連続（岩波新書）（岩波書店，1952年）
✏ 現代数学の基本概念を数式を使わないで説明している。文章は格調高い。

[6]　志賀 浩二，無限のなかの数学（岩波新書）（岩波書店，1995年）

[7]　ナウム・ヴィレンキン著，東保 まや，東保 光彦訳，無限を求めて——直観と論理の相克（現代数学社，1987年）

[8]　吉田 洋一，零の発見（岩波新書）（岩波書店，1939年）

本書のいくつかの部分は現代数学の基本をわかりやすく説明したものである。現代数学を勉強してみようという方へは次の２冊の本をおすすめする。

[9]　田島 一郎，解析入門（岩波全書）（岩波書店，1981年）
✏ 解析（＝微分・積分）の入門書である。数列や級数の収束，実数の連続性についても詳しくわかりやすく書かれている。

[10]　志賀 浩二，集合への30講（朝倉書店，1988年）

以下，第２章以降，章の順にそってそれぞれのトピックの参考文献をあげよう。

第２章　現実の中の「無限」

πの計算

[11]　小林 昭七，円の数学（裳華房，1999年）

✏ 円についての数学的な議論が整然として描かれている。高校生でも半分以上，微分，積分を習った大学初年級だったらすべて理解できる。

[12]　ペートル・ベックマン著，田尾 陽一，清水 韶光訳，πの歴史（ちくま学芸文庫）（筑摩書房，2006年）；Petr Beckmann, A History of PI, The Golem Press, 1970.

✏ πの計算に情熱を傾けた人達の歴史が語られている。

[13]　デビッド・ブラットナー著，浅尾 敦則訳，π［パイ］の神秘（アーティストハウス，1999年）；David Blatner, The Joy of Pi, Walker and Company, 1997.

ラムゼイの定理

[14]　ポール・ホフマン著，平石 律子訳，放浪の天才数学者エルデシュ（草思社文庫）（草思社，2011年）；Paul Hoffman, The Man Who Loved Only Numbers, Hyperion Books, 1998.

✏ ラムゼイ理論を発展させたエルデシュの伝記。数学者の夢と風変わりな生活に興味をおもちの方におすすめする。

暗号

[15]　太田 和夫，黒澤 馨，渡辺 治，情報セキュリティの科学（ブルーバックス）（講談社，1995年）

[16]　サイモン・シン著，青木 薫訳，暗号解読［上］［下］（新潮文庫）（新潮社，2007年）；Simon Singh, The Code Book—The Science of Secrecy from Ancient Egypt to Quantum Cryptography, Anchor, 2000.

フラクタル，カオス

[17]　宇敷 重広，フラクタルの世界——入門・複素力学系（日本評論社，1987年）

✏ フラクタルの理論をやさしくていねいに解説している。コンピュータ・グラフィックスが美しい。

[18]　合原 一幸，カオス――まったく新しい創造の波（講談社，1993年）

[19]　山口 昌哉，カオスとフラクタル（ちくま学芸文庫）（筑摩書房，2010年）

第3章　極限という考え方

級数については［9］のほかに，次の本にも詳しくていねいに描かれている。

[20]　酒井 孝一，無限級数（数学ワンポイント双書17）（共立出版，1977年）

次の本は，超実数についての本格的な入門書である。

[21]　斎藤 正彦，超積と超準解析――ノンスタンダード・アナリシス（増補新版）（東京図書，1987年）

第4章　届かない点

メービウスの帯，クラインの壺，射影平面

これらの話は位相幾何学（トポロジー）の話である。位相幾何学では，図形がゴムでできていると考えて（切ったり貼ったりせず），伸ばしたり，縮めたりしてうつり合える図形を同じ図形であるとみなす。例えば，次の本がわかりやすい入門書である。

[22]　川久保 勝夫，トポロジーの発想（ブルーバックス）（講談社，1995年）

円錐曲線，射影幾何

[23]　G. ジェニングス著，伊理 正夫，伊理 由美訳，幾何再入門（岩波書店，1996年）；George A. Jennings, Modern Geometry with Applications, Springer-Verlag, 1994.

[24]　津田 丈夫，射影幾何（数学ワンポイント双書34）（共立出版，

1981年）
射影幾何について簡潔にまとめられている。高校生程度でも読める。

非ユークリッド幾何

[25]　寺阪 英孝，非ユークリッド幾何の世界 新装版（ブルーバックス）（講談社，2014年）
非ユークリッド幾何の入門書。やさしく描かれている。

[26]　小林 昭七，ユークリッド幾何から現代幾何へ（日本評論社，1990年）
ユークリッド幾何，非ユークリッド幾何について数学的にきちんと論じている。高校生か大学初年級で読める。

第5章　1個，2個，3個，…，無限個，もっと無限個？

集合論

［5］，［6］，［7］，［10］を参照。

第6章　カントールの残したもの，ゲーデルの不完全性定理

集合論の歴史

[27]　アミール・D・アクゼル著，青木 薫訳，「無限」に魅入られた天才数学者たち（ハヤカワ文庫NF）（早川書房，2015年）；Amir D. Aczel, The Mistery of the Aleph—Mathematics, the Kabbalah, and the Search for Infinity, Four Walls Eight Windows, 2000.
カントール，コーエン，ゲーデルなどの活躍を中心に，集合論の歴史が語られる。

[28]　吉永 良正，ゲーデル・不完全性定理（ブルーバックス）（講談社，1992年）

[29]　砂田 利一，新版 バナッハ－タルスキーのパラドックス（岩波科学ライブラリー165）（岩波書店，2009年）
小冊子ながら，「バナッハ－タルスキーのパラドックス」を様々な観点から論じている。付録にその証明もついている（ただし，付録を読むた

めには大学数学科２年生程度の予備知識が必要)。

[30]　志賀 浩二，無限からの光芒——ポーランド学派の数学者たち（日本評論社，1988年）

当時のバナッハら，ポーランド学派の若手達の息吹が伝わってくる。数学的内容が理解できるためには，集合論の知識が必要である。

第7章　巨大な無限

[31]　A. カナモリ著，渕野 昌訳，巨大基数の集合論（シュプリンガー・フェアラーク東京，1998年）；Akihiro Kanamori, The Higher Infinite (Corrected Second Printing), Springer-Verlag, 1997.

専門家以外には決して読破できないが，現代集合論の最先端の息吹が感じられる。

第8章　次元も無限になる？

次元の話は［22］でも触れられている。

追加参考文献

次の３つの著者はそれぞれ，数学史家，物理学者，数学者であり，独自の観点から無限に迫っている。

[32]　エリ・マオール著，三村 護，入江 晴栄訳，無限の彼方へ——無限の文化史（現代数学社，1989年）；Eli Maor, To Infinity and Beyond—A Cultural History of the Infinite, Birkhäuser Boston, 1987.

[33]　ジョン・D・バロウ著，松浦 俊輔訳，無限の話（青土社，2006年）；John D. Barrow, The Infinite Book—A Short Guide to the Boundless, Timeless and Endless, Jonathan Cape/Pantheon, 2005.

[34]　イアン・スチュアート著，川辺 治之訳，無限（岩波科学ライブラリー273）（岩波書店，2018年）；Ian Stewart, Infinity—A Very

Short Introduction, Oxford University Press, 2017.

次の本は3.3節に現れた，通常の意味では収束しない級数の，別の意味での収束を正当化する。

[35]　黒川信重，オイラー探検——無限大の滝と12連峰（シュプリンガー数学リーディングス）（丸善出版，2012年）

出典一覧

49ページ　図2-23, 2-24

89ページ　図3-20

Charles Seife
「ZERO : The Biography of a Dangerous Idea」
Penguin Books, 2000
（チャールズ・サイフェ著　林 大 訳
「異端の数ゼロ——数学・物理学が恐れるもっとも危険な概念」
（ハヤカワ文庫NF）早川書房，2009年）

103ページ　詩「永遠」

ランボー著　金子光晴訳
「世界の詩集6ランボー詩集」角川書店，1967年

さくいん

英数・記号ほか

あ行

か行

さ行

た行

な 行

は 行

ま行

や行

ら行

わ行

N.D.C.410　254p　18cm

ブルーバックス　B-2225

無限(むげん)とはなんだろう
限りなく多く、大きく、遠いふしぎな世界

2023年3月20日　第1刷発行

著者　玉野研一(たまのけんいち)
発行者　鈴木章一
発行所　株式会社講談社
〒112-8001　東京都文京区音羽2-12-21
電話　出版　03-5395-3524
販売　03-5395-4415
業務　03-5395-3615
印刷所　(本文印刷) 株式会社新藤慶昌堂
(カバー表紙印刷) 信毎書籍印刷株式会社
製本所　株式会社国宝社

定価はカバーに表示してあります。

ISBN978－4－06－531286－5

発刊のことば

科学をあなたのポケットに

二十世紀最大の特色は、それが科学時代であるということです。科学は日に日に進歩を続け、止まるところを知りません。ひと昔前の夢物語もどんどん現実化しており、今やわれわれの生活のすべてが、科学によってゆり動かされているといっても過言ではないでしょう。

そのような背景を考えれば、学者や学生はもちろん、産業人も、セールスマンも、ジャーナリストも、家庭の主婦も、みんなが科学を知らなければ、時代の流れに逆らうことになるでしょう。

ブルーバックス発刊の意義と必然性はそこにあります。このシリーズは、読む人に科学的に物を考える習慣と、科学的に物を見る目を養っていただくことを最大の目標にしています。そのためには、単に原理や法則の解説に終始するのではなくて、政治や経済など、社会科学や人文科学にも関連させて、広い視野から問題を追究していきます。科学はむずかしいという先入観を改める表現と構成、それも類書にないブルーバックスの特色であると信じます。

一九六三年九月　　　野間省一